# Seja Autêntico

Padre Aberio Christe

# Seja Autêntico

*Histórias e mensagens*

50 dicas para você vencer e ser feliz

2ª edição — Agosto de 2013

Grafia atualizada segundo o Acordo Ortográfico da Língua Portuguesa de 1990,
que entrou em vigor no Brasil em 2009

EDITOR E PUBLISHER
Luiz Fernando Emediato

DIRETORA EDITORIAL
Fernanda Emediato

EDITOR
Paulo Schmidt

PRODUTORA EDITORIAL E GRÁFICA
Erika Neves

PROJETO GRÁFICO E DIAGRAMAÇÃO
Megaarte Design

PREPARAÇÃO DE TEXTO
Sandra Dolinsky

REVISÃO
Marcia Benjamim

**DADOS INTERNACIONAIS DE CATALOGAÇÃO NA PUBLICAÇÃO (CIP)**
**(Câmara Brasileira do Livro, SP, Brasil)**

---

Christe, Aberio
Seja autêntico / Aberio Christe. – 2. ed. – São Paulo : Jardim dos Livros, 2013.

ISBN 978-85-63420-40-4

1. Espiritualidade 2. Fé 3. Mensagens 4. Reflexões I. Título.

13-04069 CDD-248.4

---

Índices para catálogo sistemático:
1. Espiritualidade : Cristianismo 248.4

**EMEDIATO EDITORES LTDA.**
Rua Major Quedinho, 111 – 20º andar
CEP: 01050-904 – São Paulo – SP

**DEPARTAMENTO EDITORIAL E COMERCIAL**
Rua Gomes Freire, 225 – Lapa
CEP: 05075-010 – São Paulo – SP
Telefax: (+ 55 11) 3256-4444
E-mail: jardimdoslivros@geracaoeditorial.com.br
www.geracaoeditorial.com.br
twitter: @jardimdoslivros

Impresso no Brasil
*Printed in Brazil*

# Apresentação

Todos os dias, milhares de pessoas acordam para recomeçar a aventura da vida.

Muitas dessas pessoas ligam seus rádios, *smartphones*, celulares, em sua estação de rádio favorita, que presta serviços, informa a hora certa, fala da previsão do tempo, com muita música e alegria do comunicador que incentiva e encoraja todos a recomeçar a jornada.

Mas, será que não falta nada? Quantas dessas pessoas vão para a batalha apenas para "cumprir uma triste rotina" e voltam para casa com o pesado fardo do estresse, da cobrança, da falta de esperança e de um futuro melhor?

Assim como o pão, o leite, o café nutrem nosso corpo para nos dar energia, nosso espírito também precisa ser nutrido todos os dias, para promover a paz e a mais absoluta serenidade nos momentos mais delicados e estressantes do dia a dia, fazendo que cada pessoa sinta a fé brotar de seu coração e acredite que tudo pode melhorar.

E é isso que padre Aberio Christe celebra todos os dias na rádio, no programa "Bom dia com fé". Todas as manhãs ele nos traz um ensinamento com palavras de coragem e fé, sendo esse o combustível para nosso espírito.

Sempre com uma linda lição de vida, padre Aberio Christe nos fortalece e transforma a rotina do dia a dia em um dia especial, lembrando sempre que todos nós somos filhos amados de Deus.

*Fabiano Olivato*

# Sumário

# Hoje eu tomo a decisão

Vou amar mesmo sem ser correspondido; vou semear mesmo que não brote nenhuma semente; vou sorrir mesmo que tenha muitos motivos para chorar; vou falar o que penso mesmo que todos estejam surdos; vou escrever livros mesmo que nunca sejam publicados; vou expressar meus sentimentos mesmo que estejam reprimidos; vou acreditar mesmo que eu não possa ver; vou lutar mesmo que eu não tenha chance de ganhar; vou plantar mesmo que nunca venha a colher; vou me colocar na estrada mesmo que eu não saiba aonde ela vai dar; vou seguir em frente mesmo que eu não aviste o ponto de chegada; vou fazer arte mesmo que ninguém a aprecie; vou respirar fundo mesmo que o ar esteja poluído; vou compor canções mesmo que ninguém as cante; vou valorizar o que é belo mesmo que o feio esteja na moda; vou preferir o que me faz bem mesmo que todos me ofereçam veneno; vou desligar a televisão mesmo que seja o último capítulo da novela; vou celebrar a vitória mesmo que meu time perca; vou bater na porta mesmo que ela não se abra; vou continuar sonhando com um mundo melhor mesmo que eu seja o único; vou conversar com os anjos mesmo que me chamem de louco; vou brincar com as crianças mesmo que elas não sejam mais inocentes; vou tirar um dez mesmo que a nota máxima seja cinco; vou ligar para os amigos mesmo que todas as linhas estejam ocupadas; vou acreditar em Papai Noel mesmo que ele não entre por minha chaminé; vou vestir a camisa mesmo que ela não seja meu número; vou brincar de roda mesmo que eu já esteja crescido; vou rir com o palhaço mesmo que ele seja triste; vou chorar na despedida mesmo que as lágrimas tenham secado; vou transmitir uma mensagem mesmo que ela seja incompreendida; vou procurar minha cinderela mesmo que eu não tenha nenhum sapatinho; vou ao encontro do príncipe mesmo que minha abóbora nunca se transforme em carruagem; vou viver mesmo que a morte seja a única solução.

# A MOÇA NA VIELA

*Baseado em uma história real*

Janice tinha vinte e quatro anos e seus pais já eram separados quando o fato ocorreu. Ela era muito bonita, trabalhava como auxiliar de escritório de uma empresa de porte médio e cursava contabilidade em uma faculdade particular. Morava com sua mãe e uma irmã de cinco anos em um bairro da periferia. Chegava a casa por volta de 23h50. A distância do ponto de ônibus até seu endereço era de 400 metros, passando por uma viela não muito movimentada e pouco iluminada.

Sua mãe não a podia encontrar por causa da filha menor, por isso, ficava preocupada e recomendava à jovem que nunca deixasse de pedir a proteção de Deus, que fizesse a oração suplicando que sempre o anjo da guarda a acompanhasse; mas ela sempre orava pela filha. Janice não era muito religiosa, não compreendia bem essas coisas e nem sabia orar, apesar de não duvidar.

Era uma quinta-feira de outubro quando a moça, regressando ao lar, sentiu algo a lhe apertar o peito. Não era uma pessoa medrosa e nem vivia a alimentar maus pensamentos; normalmente, passava tranquila por aqueles caminhos, mas naquela noite pressentia o perigo e seu coração disparou. Então, lembrou-se das recomendações de sua mãe e começou a orar do seu jeito, pedindo a Deus que lhe enviasse um anjo protetor. No mesmo instante, sentiu a coragem voltar a seu espírito e acelerou o passo. Quando entrou na viela, viu um homem logo à frente encostado no muro. Ele estava sozinho, com as mãos nos bolsos; olhava para o chão, para o lado direito e depois na direção dela. Janice logo identificou um comportamento suspeito. O que fazer? Recuar não convinha, e correr, não tinha para onde. Naquele tempo não se usava telefone móvel como hoje, e mesmo que ela tivesse um, não daria tempo de ligar, pedir e receber algum tipo de socorro. Ocorreu-lhe um pensamento, como se alguém estivesse lhe dizendo: "Aja normalmente e siga em frente". E assim fez, passando pelo homem, que olhou em sua direção e depois baixou o olhar, permanecendo no mesmo lugar.

No dia seguinte, já em seu local de trabalho, leu no jornal que uma vizinha havia sido estuprada nessa viela quinze minutos depois que ela mesma havia passado por ali. Ficou chocada, pois teve consciência de que aquilo poderia ter acontecido com ela. A matéria dizia que a polícia não tinha nenhuma pista para chegar ao criminoso, pois a vítima se encontrava em estado de choque. Janice não teve dúvidas: pediu a seu chefe que a deixasse ir embora. Ele consentiu, e ela foi direto à delegacia. Contou o que havia visto, e com base em seu depoimento chegaram ao suspeito, que confessou o crime.

Janice pediu ao delegado que a ajudasse a dirimir uma dúvida cruel: "Por que ele não me atacou, se eu passei pelo local alguns minutos antes? Pergunte a ele, por favor". O delegado logo retornou com a resposta: "O estuprador respondeu que não atacou a moça que passou antes (no caso, você) por um motivo muito óbvio: ela estava acompanhada de um homem alto e forte".

Por isso, é importante sempre pedir e confiar na proteção de Deus, orando não somente por si, mas também pelos familiares e amigos.

# Nesta vida

*Em memória de minha mãe Julia Christe Silva — 18/01/1932-11/11/2010.*

*Escrito logo após eu saber de seu falecimento.*

Nesta vida a gente apanha, se estranha e se arranha. Nesta vida a gente sobe ladeira, pega a rabeira e cai na ribanceira. Nesta vida a gente não tem sorte, a gente perde o norte e enfrenta a morte. Nesta vida a gente vive um tempo cruel, engole fel e desacredita do céu. Nesta vida a gente se desencanta com o amor, sente a dor e das coisas perde o sabor. Nesta vida a gente amargura, é vítima das agruras e a força satura. Nesta vida muita coisa complica, o coração se agita e a gente grita. Nesta vida lhe fecham na curva, a visão fica turva e vêm os dias de chuva. Nesta vida a gente é ninguém, vive menos de cem e sonha com o além. Nesta vida tudo passa, a gente perde a graça e o coração se embaraça. Nesta vida o sol se esconde, a gente perde o bonde, foi o tempo e eu não sei para onde. Nesta vida lhe embala a rotina, fecha-se a cortina e cumpre-se a mesma sina.

Mas é nesta vida que a gente se supera, que a gente se esmera e a felicidade se espera. É nesta vida que a gente se levanta, que a gente se encanta e os medos espanta. É nesta vida que a gente faz história, alcança a vitória e grita glória. É nesta vida que a gente experimenta o divino, ouve tocarem os sinos e acolhe Deus menino. É nesta vida que a gente sente prazer, transcende o próprio ser e não deixa de bem-querer. É nesta vida que a gente labuta, se fortalece nas lutas e aprimora a própria conduta. É nesta vida que a gente é feliz, se faz eterno aprendiz e se encharca de sabedoria no chafariz. É nesta vida que a gente segue viagem, aprecia a paisagem e seleciona o que é bom entre tanta bobagem. É nesta vida que a gente vive intensamente, administra o tempo com a mente e existe eternamente. É nesta vida que a gente aprende a gostar, admira o mar e não deixa de sonhar. É nesta vida que a gente vê o sol nascer, corre o dia para fazer acontecer e à noite sonha com um novo amanhecer. É nesta vida que a gente faz a experiência, sobe no palco da existência e faz o mundo com excelência.

# Reclamar do que falta ou agradecer o que se tem?

Ele entra no estabelecimento e pergunta o preço do café. A atendente responde:

— Dois reais o copo pequeno e quatro o médio.

E ele consulta a carteira e diz:

— Que maravilha! Tenho dinheiro para um pequeno.

Enquanto espera, pega o jornal e passa a vista nas notícias. A moça leva seu pedido, e enquanto o serve, observa:

— Você viu que tragédia ontem? Quantas casas desabaram, pessoas perderam tudo!

— Sim — ele responde —, mas aqui estão contando vários exemplos de solidariedade, como a comunidade se mobilizou para ajudar as vítimas, como o corpo de bombeiros foi eficiente.

A moça arregala os olhos e não diz mais nada. Ele continua a ler enquanto toma o café; depois, coloca o dinheiro no balcão e segue para o médico, onde tem uma consulta de retorno.

Entrega os resultados dos exames ao médico. Este os examina com atenção. Pergunta:

— E então, doutor?

— Eu sinto muito — responde o médico —, você só tem um mês de vida.

— Puxa, doutor! É tempo suficiente!

— O que vai fazer com esses dias que lhe restam? — pergunta o médico.

— O que sempre tenho feito — respondeu ele. — Vou continuar lutando com honestidade por minha sobrevivência até quando chegar o momento.

Saindo do consultório, ele segue de volta para casa a pé e agradece a oportunidade de poder andar e respirar. Começa a chover, e todos os demais transeuntes correm para se proteger ou abrem seus guarda-chuvas, mas ele não. Para onde está, olha para cima, relaxa e recebe cada pingo como uma bênção que cai do céu. Em seguida, continua caminhando devagar.

Já entrando em seu condomínio, cumprimenta o porteiro, e este diz:

— Boa-tarde. Estava pensando como o tempo passa, estamos a apenas um mês do Ano Novo.

— É verdade, por isso não podemos desperdiçar um minuto sequer — ele responde.

— O senhor vai festejar o Ano Novo aqui mesmo na cidade? — pergunta o porteiro.

— Sim, e vou festejar como nunca — responde.

— Espero que o ano que vem seja bem melhor que este — diz o porteiro.

— Eu tenho certeza de que será — responde ele com muita fé.

Não importa quanto tempo você tenha, importa é viver intensamente.

# O COPO ESTÁ MEIO CHEIO OU MEIO VAZIO?

Você já deve ter ouvido falar em "copo meio vazio" e "copo meio cheio". Há também aqueles que vão fazer aniversário e dizem: "Minha Nossa, estou ficando velho!". E outros: "Graças a Deus estou vivo mais um ano". Alguns vão olhar para seu problema e gritar: "Que desgraça"; outros, observar: "É... podia ser pior".

Há também aquela pessoa que sofreu um acidente e não se conforma por aquilo ter acontecido com ela, enquanto outra agradece a todo instante por ter sobrevivido ao acidente. Existe aquele que ouve uma expressão negativa, como "você não vai conseguir", fica todo inseguro e, por conta disso, não consegue mesmo. Enquanto outro ouve a mesma expressão e afirma para si mesmo: "Vou conseguir sim, você vai ver". E realmente consegue.

Uma pessoa olha o relógio e se desespera: "Tenho pouco tempo". Outra na mesma situação olha o relógio e se anima: "Que bom, ainda tenho algum tempo". Outro exemplo é o daquele que toma consciência de seus erros e diz que precisa melhorar, enquanto outro entrega os pontos: "Não consigo fazer nada direito".

Ou o da pessoa satisfeita consigo mesma, enquanto outras reclamam do excesso de peso ou da falta dele, se queixam da baixa estatura ou lamentam sua altura acima da média. Há também aquelas pessoas que ficam felizes com o sol e com a chuva, enquanto outras praguejam: "Que calor infernal" ou "Que tempo horroroso".

Mas uma mesma pessoa pode ter atitudes antagônicas em situações semelhantes: ela acorda de manhã e diz: "Minha agenda está toda preenchida hoje. Caramba! Não vou ter tempo nem de respirar!". Ou: "Tenho muitos compromissos hoje. Que bom! Não vou ter tempo de pensar besteiras!". Alguma coisa não sai como esperava e ela desabafa: "Droga, não era para dar errado"; e em outro momento: "Não se pode ganhar sempre, valeu a experiência".

Confesso que nem sempre sou positivo ao encarar os fatos e também não acredito que devamos nos conformar com tudo. Olhar o bordado pelo avesso também é importante às vezes, o que não se pode é nunca olhar do lado certo. Ver o bordado corretamente e perceber que ele não está benfeito também é importante. O ruim é nunca notar o lado positivo das situações, ser negativo sempre. Igualmente, não é bom ter um espírito isento de críticas e viver afirmando que o mundo é lindo e maravilhoso sem se importar com o que acontece.

Portanto, vamos ficar mais atentos para perceber quando é preciso reconhecer que o copo está mesmo meio vazio e quando é preciso constatar que o copo está meio cheio. Sem essa atenção eu poderia me acomodar e dizer sempre que o mundo está bem desse jeito e que não preciso fazer nada para melhorá-lo ou a mim mesmo. Por outro lado, eu poderia dizer que o mundo é uma droga e não há nada de bom nele.

Então, olhe para sua vida e perceba quando é hora de agradecer o que já há no copo e quando é tempo de buscar completá-lo.

# Oração

Repita a seguinte frase com fé: "Senhor, dá-me um espírito decidido" (Salmo 50, 12).

Meu Deus, cura as minhas indecisões para que elas não me impeçam de seguir adiante. A vida é feita de escolhas. Que eu saiba escolher conforme a tua vontade. Ajuda-me a decidir sempre pelo melhor caminho e que possa contar com a proteção dos teus anjos por onde eu andar. Que teus anjos me guardem, me iluminem e tragam de ti a cura e a felicidade para o meu corpo, minha mente e minha alma.

Senhor, sei que os problemas e as dificuldades fazem parte da vida, mas ajuda-me a vencê-los e superá-los. Que eles nunca destruam minha alegria de viver, mas abra minha mente para que eu possa percebê-los. Dá-me coragem para enfrentá-los, porém não permita que minhas vistas sejam vendadas pela ignorância a ponto de não enxergar a realidade. E se ela for dura demais, não me deixes esquecer que mesmo do lixo eu posso tirar o meu tesouro.

*Amém.*

# Transformando galinhas em águias

Gájia viu a placa e não teve dúvidas, entrou e foi falando em alta voz:

— Quero ser uma. O que devo fazer?

Rato a media de cima a baixo enquanto lhe respondia:

— Alguns testes. Se aprovada, faremos de você uma maravilhosa, magnífica, esplendorosa, estonteante, desconcertante, glamorosa, célebre e famosa ave de rapina.

— Então, posso fazer os testes? — perguntou Gájia bastante empolgada. — Mas já vou adiantando que não sei voar, e também não enxergo muito bem.

— Fique parada — ordenou Rato, mexendo-se rapidamente e articulando bem as mandíbulas. — Raposa, venha aqui.

— Temos uma candidata! — observou a Raposa enquanto adentrava o local.

Olhou para Gájia por certo ângulo, por outro, e em seguida por um terceiro. Passava os olhos como se estivesse digitalizando a imagem da galinha (como fazem as mulheres ao observar as outras). Depois disso, fez-se um profundo silêncio, até que Rato pigarreou. Raposa olhou feio para ele, que levantou a pata direita como um pedido de desculpas. Seguiu-se mais um instante de silêncio, até que, enfim:

— Você será uma águia — sentenciou ela.

Gájia soltou vários cacarecos e bateu as asas de alegria.

— Quando começarão minhas aulas? Em quanto tempo estarei voando bem alto e enxergando longe?

Rato balançou a cabeça e Raposa fez "tsc tsc tsc".

— O que foi? — preocupou-se Gájia.

— Deixe de ser boba — disse Rato —, usaremos os métodos do *marketing* e da exposição acentuada.

— E o que eu tenho que fazer? — perguntou Gájia realmente interessada.

— Assine aqui — disse Raposa mostrando-lhe uma folha de papel.

Gájia achou estranho, mas não questionou, pois nunca havia acompanhado um processo de transformar galinha em águia. Autenticou o documento. Sua assinatura tinha o formato de um pé de galinha. Raposa conferiu, sorriu e ordenou:

— Rato, comece a tirar as fotos.

Terminada essa sessão de cliques e *flashes*, Gájia voltou para o galinheiro, e enquanto descansava em seu poleiro, sonhava que logo seria uma nova ave; nem imaginava que no dia seguinte veria sua foto em *outdoors* com a frase de efeito: "Gájia, a nova águia das paradas".

Logo começou a distribuir autógrafos, fazer comerciais e apresentações em casas de *shows*. Rato e Raposa enchiam os bolsos de dinheiro (se é que usavam roupas). Gájia já precisava fugir dos *paparazzi*, do assédio dos fãs e administrar a fama, que significa "mostrar-se águia e continuar ciscando". Mas ela, coitada, acreditou mesmo que havia sido transformada, até que tentou voar e tomou um baita tombo.

E você entendeu muito bem que esta fábula tem muito da nossa realidade.

# Aceite a vida

Hoje entendo melhor que não podemos esperar atingir a perfeição para sermos santos, ter tudo que queremos para sermos alegres, viver num mundo sem corrupção para sermos honestos, não ter problema nenhum para assim a paz reinar em nosso interior, respirar a bondade a todo momento para enfim sermos bons, ver as pessoas fazendo sua parte para então fazermos a nossa.

Hoje, tenho consciência que a nossa atitude não pode depender de testemunhos ou reforços exteriores. Não dá para inocentar uma pessoa que causa o mal porque foi estimulada por outrem a agir assim. Não dá para aceitar que a culpa é das más companhias ou da falta de apoio. Nós temos um Deus maravilhoso que nos cumula de força e talentos, um Deus que ilumina nossos caminhos e afasta as trevas de nossa vida. Um Deus que nos ama de verdade e nos dá a capacidade de vencer as dificuldades e alcançar a vitória, mesmo que a luta seja difícil. Por isso proponho que você tome a melhor decisão, independentemente das condições a que estiver submetido. Que você faça a melhor escolha, mesmo que a pior seja a mais fácil. Que você siga pela estrada da salvação mesmo que muitos apontem outro caminho. Que você continue remando mesmo que o barco pareça não sair do lugar, pois se parar, o vento o levará para onde não quer ir.

Que você não esqueça: mesmo em um dia nublado o sol está brilhado sobre nossa cabeça. Mesmo a chuva que atrapalha seu passeio é importante para limpar o ar e hidratar a terra. Mesmo que todos se esqueçam de seu aniversário, ele não deixa de ser o dia de seu nascimento. Mesmo que você seja pobre, sua vida é um bem muito precioso. Mesmo que as pessoas não notem seus melhores feitos, os anjos do céu o aplaudem. Mesmo que tudo o que faça pareça inútil, um gesto de amor tem utilidade por si mesmo. E se achar que não tem o direito de ter prazer nesta vida, saiba que o prazer é como uma melancia que só você pode pegar, e se não a saborear, vai estragar.

Aceite a vida como um presente divino, e não como um encargo humano; como uma oportunidade oferecida por Deus, e não como um acidente da natureza. Aceite a vida como uma experiência maravilhosa, e não como uma tarefa enfadonha; como um convite à paz, e não como uma convocação para a guerra.

# Chuchu quer ser gente

O grande sonho de Chuchu é ser gente. Já faz tempo que ele se empenha nessa árdua tarefa de transformar-se em ser humano. Realmente, o pequeno legume faz de tudo para alcançar seu objetivo. Não fica parado, não, corre atrás, ouve e segue os conselhos que lhe são dados com seriedade, avia as receitas que lhe prescrevem e vai a qualquer lugar para onde apontam solução para seu caso. Chuchu já bebeu diversos preparados de ervas e minerais, já tomou banho em diversas fontes e lamas, já seguiu inúmeros regimes, experimentou fórmulas químicas, mas tudo isso não lhe deu o resultado satisfatório. No entanto, sua busca continuou, até que ouviu falar de um grande sábio. Não demorou para se encontrar com o mestre da sabedoria e lhe apresentar sua questão.

— Você se tornará gente quando for verdadeiramente amado por alguém — disse-lhe o sábio.

Depois da consulta, a frase ficou ecoando na mente de Chuchu, que tomara a firme decisão de encontrar alguém que pudesse amá-lo de verdade. Ele pediu a várias pessoas:

— Você pode me amar?

— Claro — respondeu uma moça.

— Eu sinto muito... Acho que não conseguiria — respondeu outra pessoa.

— Não é possível — respondeu uma terceira.

— Farei o possível para isso — disse mais alguém.

Mas foi aprendendo que não é assim que nasce o amor. Então, pagou um dote para que uma mulher se casasse com ele. Fizeram tudo como manda o regulamento, mas a convivência foi se tornando insuportável, pois não são juras de fidelidade nem um documento assinado que podem garantir o amor. Logo decidiram se separar.

Chuchu estava de tal modo dominado pelo desejo compulsivo de tornar-se gente que resolveu agir de forma inescrupulosa. Sequestrou uma moça e ameaçou não soltá-la se não fosse amado por ela. Ansiosa por recuperar a liberdade, ela tentou. Forçou o amor pelo legume a lhe brotar do coração, mas não foi capaz. Ele, refletindo sobre seu ato cruel e percebendo ineficaz uma ação tão vil, tratou de libertar a moça.

Aprendeu, nosso protagonista, que o amor não se pede, não se compra e nem se rouba, mas ainda não sabia como fazer para tê-lo. Lamentava não poder vir a ser humano já que não conseguia ser amado.

Andava angustiado e frustrado pelo parque quando avistou uma jovem. Ela estava sentada à beira do lago e olhava fixamente para as águas verdes. Chuchu se aproximou e notou que a menina estava muito triste. Ele se sentou a seu lado e perguntou:

— O que acontece com você?

A jovem continuou imóvel, não mexeu sequer os olhos para saber quem falava com ela. Depois de um longo intervalo, respondeu:

— Ninguém me ama.

Chuchu pensou consigo mesmo: "Se ela, que é gente, não é amada, como posso eu, um chuchu, querer ser? Não é fácil ser amado, não é fácil ser gente, e mesmo sendo gente, nem sempre se é amado".

Mas Chuchu estava acostumado às dificuldades, e nem por isso desistiria de seu sonho.

Chafurdados no silêncio de sua melancolia, continuaram os dois ali por um bom tempo.

# *Up and down*

— Uma nova semana começa!

— Tudo de novo?

— Não. Tudo novo!

— Os mesmos problemas?

— Não. Soluções diferentes!

— Mas as coisas não mudam!

— É verdade, as coisas podem não mudar, mas você pode se transformar.

— Mas, como posso ser feliz desse jeito?

— Seja feliz de qualquer jeito.

— Sim, mas algumas coisas me deixam triste.

— Mas você tem um Deus que o faz feliz.

— Há dificuldades que eu não consigo superar.

— Mas há a força de vontade que não se deixa abalar pelas dificuldades.

— Parece que o mundo está contra mim.

— Mas acredite: o céu inteiro está a seu favor.

— Eu tenho tentado, mas não tenho conseguido.

— Então, tente novamente.

— Acho que não mereço ser feliz.

— Você não merece mesmo, mas Deus dá a felicidade de graça.

— Minha fé é fraca.

— Peça: "Eu creio, mas aumente minha fé".

— Eu me sinto sozinho.

— Então, aceite a companhia dos anjos.

— Às vezes acho que não vou conseguir.

— Talvez você não consiga mesmo, por isso, deixe o Espírito Santo agir.

— Mas eu sou tão pecador!

— Peça e receba o perdão.

— Eu me sinto na escuridão.

— Tateie a parede, sempre há um interruptor para ligar a luz.

— Acho que nada em minha vida dá certo.

— Então, comece achando que tudo pode dar certo.

— Eu lutei bastante nesta vida.

— E venceu, pois, do contrário, não estaria aqui. Continue a batalha.

— Sinto que não vale a pena.

— Então, deixe o sentimento de lado e aja com fé.

— Eu espero que algo de bom aconteça.

— Descruze os braços e faça acontecer.

— Penso que tenho de aceitar a vontade de Deus.

— E a vontade de Deus é que você não se conforme com a própria miséria.

— Vou pensar em tudo que está me dizendo.

— Ótimo, mas não precisa pensar aí parado, levante-se e caminhe enquanto pensa.

# Oração

Senhor meu Deus, faz-me perspicaz para que eu não seja enganado nem iludido. Muitos tentarão me ludibriar, mas eu sei que tu não me deixarás a mercê dos inimigos. Mas mesmo que eu caia em uma cilada, não permitas que eu viva magoado ou em um eterno lamento. Que eu me levante, perdoe meus agressores e siga em frente com paz e alegria. A vida é uma oportunidade maravilhosa que tu me deste. Que eu saiba aproveitar esta oportunidade. A vida não é um fardo a carregar, não é uma guerra ou uma prisão, mas uma dádiva, uma experiência esplêndida. Que eu sempre tenha consciência disto. E se as situações me trouxerem angústias, cura-me. Se eu me sentir sozinho ou abandonado, se não me sentir amado, que eu perceba que tu estás junto a mim, abençoando e amando-me.

Senhor, que nunca deixe de acreditar e sentir a tua presença junto a mim. "Eu creio, mas aumenta a minha fé." (Marcos 9, 24)

*Amém.*

## O que é mais importante nesta vida?

Idélio era um rapaz inteligente e valorizava o que tinha: uma renda mensal, uma boa reserva no banco, uma casa bem decorada, um carro bem equipado. Ele era muito agradecido por suas posses. Dizia: "Ter o suficiente para se viver bem é tudo nesta vida".

Idélio então conheceu Onídio, e os dois se tornaram bastante amigos, apesar de suas diferenças. Onídio lhe perguntava:

— O que é mais importante nesta vida?

E ele não tinha nenhuma dificuldade para responder:

— As coisas que possuímos.

No entanto, Idélio enfrentou uma crise financeira e perdeu todos os seus bens. Onídio lhe perguntava:

— E como você está?

Ele respondia:

— Estou bem, pois ainda tenho meu trabalho, vou reconstruir minha vida.

Então o amigo o questionou:

— Isso significa que o trabalho é mais importante que os bens materiais?

— É verdade — respondeu Idélio.

Não demorou muito, ele perdeu o emprego também. Onídio se preocupou, mas Idélio respondeu que tinha saúde, logo arrumaria outro trabalho. O amigo lhe perguntou:

— Então, você concorda que a saúde é mais importante que trabalho?

— Justamente — respondeu Idélio.

Algum tempo depois, Idélio ficou doente.

— Você deve estar desesperado — disse Onídio.

— Não — respondeu Idélio —, tenho esperança de que vou ficar bem.

Onídio então observou:

— Isso significa que a esperança é ainda mais importante que a saúde!

Idélio concordou.

Mas Idélio fez os exames que precisava fazer e foi constatada uma doença grave. Os médicos o desenganaram. O amigo correu ao seu encontro logo que soube da notícia.

— Idélio, estou muito triste, agora sim você deve estar se sentindo totalmente acabado!

— Não, meu amigo — respondeu ele —, eu acredito em Deus, minha vida está em Suas mãos, Ele nunca vai me abandonar. E quando eu partir, sei que vai me levar para um bom lugar.

Onídio se emocionou e falou:

— E você finalmente descobriu o que é mais importante que tudo nesta vida!

— Isso mesmo — concordou Idélio.

Mas nosso personagem central não morreu; recuperou sua saúde, voltou a trabalhar, comprou uma nova casa, outro carro, reergueu-se financeiramente. E hoje não deixa restar nenhuma dúvida quando diz em alto e bom som: "A fé é o que há de mais importante nesta vida".

# Comentários desagradáveis, respostas à altura

Tomei uma decisão importante na vida: não vou deixar ninguém roubar minha autoestima. Se alguém fizer um comentário desagradável levará de troco uma resposta à altura. Mas é claro que vou fazer isso com muito bom humor, porque também isso ninguém vai tirar de mim. A seguir, cito alguns exemplos.

Uma pessoa olha para mim e diz:

— Ave! Seus cabelos estão brancos!

E eu respondo:

— É que eu voltei do Alasca, e estava nevando por lá.

Ou então:

— Ih, você está ficando careca!

E eu falo:

— Não, é que desmatei o couro cabeludo para construir um pensamento positivo na cabeça.

— Puxa! Como você está gordo!

E eu digo:

— Graças àqueles almoços que você tem me servido em sua casa.

Ou:

— Nossa! Como você emagreceu!

E eu respondo:

— Não, são seus olhos que engordaram!

Alguém comenta:

— Você está ficando velho!

Respondo:

— Não, é a terra que está girando rápido demais.

E não aceito mais as comparações ridículas que podem ferir o amor-próprio de qualquer um. Por exemplo, alguém me sugere:

— Você devia fazer como Paulo faz.

E minha resposta é imediata:

— E você devia fazer como José, ficar calado.

Ou então:

— O senhor é parecido com fulano!

E eu respondo:

— Não, fulano é parecido comigo, eu nasci primeiro.

Também tenho a resposta para aqueles que me chegam com uma conversa assim:

— Não quero me meter em sua vida, mas...

E corto logo dizendo:

— Que bom que não quer, pois eu detesto que se metam em minha vida.

Outro me diz:

— Eu gostaria de lhe contar uma coisa, mas é segredo.

Respondo:

— Se é segredo, não me conte; senão, deixará de ser segredo.

As conversas desse tipo não edificam e nem fazem crescer os laços entre as pessoas. Ao contrário, servem somente para tirar a paz e a alegria do coração. Então, o melhor a fazer é encerrar o assunto logo no início.

# À procura do Bom Humor

Ênio passou por um grupo de rapazes e perguntou:

— Olá, vocês sabem onde posso encontrar o Bom Humor?

— Senhor, faz muito tempo que nós não o vemos por aqui — respondeu secamente um deles.

— Costumávamos brincar juntos, mas isso já faz anos — continuou o outro.

— A última vez que o vi foi no circo, mas o circo nunca mais voltou para cá — completou um terceiro rapaz.

— Por que você não vai até a casa da dona Joana, ela tinha muito contato com ele, quem sabe tenha alguma notícia — sugeriu o quarto rapaz.

Ênio pegou com eles as indicações de como chegar à casa da tal dona Joana, agradeceu ao grupo e seguiu até o endereço.

Uma mulher abriu a janela e sem dar nenhum sorriso. Perguntou:

— Pois não?

— A senhora sabe onde encontro o Bom Humor? — perguntou ele quase gritando para se fazer ouvir pela mulher que estava a certa distância.

— Ele já frequentou muito minha casa, era muito querido por todos, mas está morto — respondeu a mulher.

— Ele morreu? Mas como a senhora soube disso?

— Porque ele me disse certa vez: "Se um dia você não ouvir mais nenhuma risada que não seja sarcástica, é porque eu morri".

— Há quanto tempo a senhora não dá nem ouve uma risada assim?

— Se não me falha a memória... há doze anos.

— É muito tempo!

— Sim, é muito tempo. Agora, se me der licença, tenho muito a fazer.

E a mulher, além da cara que já estava fechada, fechou também a janela.

Ênio pensou: "Não acredito que o Bom Humor esteja morto; talvez esteja apenas doente, abandonado em algum canto. Ele vai ter que aparecer".

E começou uma campanha pela cidade. Colocou anúncio no rádio e nos jornais dizendo: "O Bom Humor não morreu, ele vai voltar". A princípio, as pessoas não aderiram à campanha, mas depois começaram a gostar, porque o Mau Humor já estava fazendo muito mal a todos. Então, elas começaram a usar *bottons* e camisetas com os dizeres: "Volte, Bom Humor".

De repente, apareceu um jovem e disse em alta voz:

— Eu vi o Bom Humor, ele estava com as crianças.

Mais tarde, uma moça também anunciou:

— O Bom Humor estava com um grupo da terceira idade.

E depois outras pessoas também deram notícias:

— O Bom Humor estava com um grupo de amigos.

— O Bom Humor apareceu lá em casa.

— O Bom Humor estava no teatro.

Muita gente dizia ter encontrado o Bom Humor em algum lugar. Então, começaram a ouvir na cidade muitas risadas que não eram sarcásticas. Dona Joana apareceu sorrindo; estava novamente com Bom Humor. O grupo de rapazes também se juntou a ela. Todos queriam ficar com Bom Humor, alguns para matar saudades, outros para conhecê-lo.

Ênio estava satisfeito e partiu para outra cidade; iria procurar outra desaparecida por lá: a Decência.

# O QUE É A VERDADEIRA HUMILDADE

A verdadeira humildade é dar o melhor de si sem se sentir melhor que os outros.

É ter consciência de suas qualidades, mas reconhecer que tem muitos defeitos também.

É mostrar seus talentos sem querer abafar os talentos dos outros.

É admirar os outros pelo que são sem esquecer que você também é filho de Deus.

É admirar os outros pelo que eles fazem sem esquecer que você também é capaz de fazer coisas maravilhosas.

É aceitar cargos importantes, mas fazer deles uma maneira de servir ainda mais.

É aceitar a vontade de Deus sem abrir mão de sua responsabilidade de tomar decisões e fazer sua parte.

É saber que faz parte do universo e que é uma peça importante na engrenagem criada por Deus.

É dar sua opinião com a disposição de ouvir a opinião do outro.

É ser capaz de aprender com os outros sem perder sua identidade própria.

É usar os bens da melhor forma possível, sem se tornar escravo deles.

É saber viver na simplicidade sem se sentir superior àqueles que são apegados às coisas.

É olhar para frente e seguir adiante sem esquecer quem está do seu lado.

É escalar alturas sem pisar em ninguém.

É saber que a santidade só faz sentido na convivência com as pessoas.

É oferecer aos outros o que você tem de melhor sem se impor a ninguém.

É não depender de elogios nem recompensas para fazer o que é certo.

Resumindo: a verdadeira humildade é ser como uma flor: frágil e efêmera, mas que desabrocha beleza e exala perfume.

# O homem sem futuro

Era uma vez um homem sem futuro. Ele tinha o passado e o presente, mas nada de futuro.

— Preciso de um futuro — disse determinado.

Juntou dinheiro e colocou um anúncio no jornal: "Procuro meu futuro. Se alguém souber dele, entre em contato. Pago bem".

Choveram ligações. Uma vidente queria lhe apresentar o futuro. Uma cartomante também lhe fez a oferta. Um homem dizendo-se adivinho quis lhe vender a resposta. Um astrólogo disse que os astros revelariam seu futuro. Até mesmo o gerente do banco lhe ofereceu uma apólice de seguro de vida. Um corretor de imóveis lhe propôs um investimento dizendo que nesse negócio estava o futuro.

Muitos outros lhe fizeram propostas, mas o homem recusou todas, respondendo que buscava o futuro, e não uma previsão, adivinhação ou possibilidade de lucro.

— Preciso encontrar meu futuro — disse.

E logo apareceu um senhor aparentando sessenta anos, acompanhado de uma mulher de aproximadamente trinta.

— Amigo, eis aqui seu futuro — disse apontando para a acompanhante. — Ela é boa mulher, dedicada e fiel. Case-se com ela e terá um futuro feliz.

O homem sem futuro não aceitou, pois não acreditava que seu futuro estivesse no casamento. Porém, continuava sua busca, até que alguém lhe sugeriu:

— O sábio poderá lhe dizer onde está o futuro.

O tal sábio, que vivia em uma área distante e isolada, recebeu-o em uma simples e humilde casa e lhe disse:

— Se quiser encontrar o futuro, conheça o passado.

E assim fez o homem sem futuro. Viajou para lugares de seu passado, conversou com pessoas que o conheceram em épocas distantes, rememorou acontecimentos dos tempos idos. Mas, ainda assim, continuava sem futuro. O sábio lhe disse:

— Se quiser encontrar o futuro, conheça o presente.

O homem sem futuro olhou para sua vida atual, avaliou suas atitudes, analisou seus relacionamentos. Mas, ainda assim, não sabia onde estava seu futuro.

O sábio lhe disse:

— Isso é o futuro: o passado e o presente se misturando. O passado é a lembrança, a saudade, e também o arrependimento. O presente é o pensamento, as atitudes e o jeito que cada um vive a vida. Ninguém possui o futuro e nunca possuirá. O futuro é o que você deseja, mas ainda não tem, enquanto o presente é o que você faz; e o passado o que ficou apenas na lembrança. No entanto, tome consciência de que o futuro, que se torna presente, logo se transforma em passado.

O futuro não se pode possuir e o presente cai para o passado toda vez que o ponteiro do relógio se mexe.

# Se não quiser...

Se não quiser ouvir a resposta, não pergunte;
Se não quiser falar, não abra a boca;
Se não quiser acolher, não convide;
Se não quiser críticas, não se exponha;
Se não quiser se molhar, não saia na chuva;
Se não quiser dar uma mão, não ofereça ajuda;
Se não quiser trabalhar, não procure emprego;
Se não quiser se divertir, não vá à festa;
Se não quiser dançar, não entre na pista;
Se não quiser atrapalhar, não fique no caminho;
Se não quiser receber a bênção, não peça;
Se não quiser vencer, não lute;
Se não quiser olhar a paisagem, não sente na janela;
Se não quiser voar, não bata as asas;
Se não quiser acordar, não abra os olhos;
Se não quiser partilhar, não ofereça;
Se não quiser se decepcionar, não confie nas pessoas;
Se não quiser ser democrático, não faça eleição;
Se não quiser correr riscos, não arrisque;
Se não quiser encontrar obstáculos, não se coloque na estrada;
Se não quiser falhar, não seja humano;
Mas se não quiser ser uma múmia, não considere os "nãos" anteriores;
Se quiser ser gente, leia de novo ignorando os "nãos".

# Oração

Eu creio e posso sentir: Deus está me curando de baixa autoestima, da falta de autoconfiança, de mágoas, do sentimento de inferioridade. Neste momento Deus está aumentando meu amor-próprio, Deus está me ensinando a me valorizar mais. Obrigado, por teres me feito único e especial. De agora em diante nunca mais me compararei a ninguém e nem permitirei que façam isso comigo. Hoje, Senhor, tu me dás a certeza de que sou importante para ti, para as pessoas e para o mundo. Não importa minha idade, meu peso, meu tamanho, minha profissão, meu grau de instrução ou minha condição social, sou importante, especial e tu me amas, Deus, do jeito que eu sou.

E hoje eu te entrego meu corpo, meu coração, tudo que sou e faço. Entrego-te meu passado, meu presente e meu futuro. Cuida de mim, Senhor e ensina-me como agir em todas as circunstâncias desta vida, mas não permitas que o medo ou o comodismo me paralise.

*Amém.*

# A poeira e a cadeira

— Quem é você? — perguntou a cadeira.

— Eu não sou nada, não — respondeu a poeira.

— Se você não é nada, por que está em cima de mim?

— Não se preocupe, logo vem alguém, dá um tapa na gente e eu voo para outro lugar.

— Você não tem medo de espanadores?

— Temer por quê? Se alguém me bate eu saio, mas logo volto. Sou persistente.

— E qual é sua função, afinal? Eu, por minha vez, dou descanso e ajudo muita gente a trabalhar. Agora você...

— Pode me desmerecer, eu não me importo, mas eles ainda poderão descartar você quando estiver velhinha. Vão deixá-la abandonada em um depósito qualquer. Quando isso acontecer, quem estará lhe fazendo companhia? Eu.

— Você é muito negativa! Não me admira que seja apenas uma poeira.

— Mas eu não fui sempre assim. Eu era outra coisa. Uma árvore, um objeto de luxo, um jardim florido, um produto importante, ou até um ser humano. Você também vai se transformar em poeira um dia.

— Como você é pessimista!

— "És pó e ao pó voltarás". Nunca leu isso?

— Claro. Já servi a um estudioso, e, por isso, conheço bem a Bíblia.

— Então.

— Não sei por que perco meu tempo conversando com uma poeira.

— Talvez porque tenha muito que aprender comigo.

— Você é bastante pretensiosa também!

— Os sábios buscam conhecer todas as coisas, e, de repente, olham para mim e descobrem algo mais importante.

— O quê?

— O conhecimento também é pó.

— Ah, não! O conhecimento permanece para sempre.

— Como o pó, o conhecimento é o princípio e o fim de tudo.

— Não quero mais conversar com você. Eu me orgulho em ser uma cadeira. Um trono para os reis, um pedestal para os artistas, um apoio para nobres, um instrumento para os intelectuais. Fico feliz por estar nas refeições das famílias bem estruturadas, no escritório dos chefes e dos funcionários exemplares, na sala da reunião onde se tomam decisões importantes, nos restaurantes onde se degustam pratos finos e caros.

— Em todos esses lugares eu estarei também, porque enquanto as pessoas fazem qualquer coisa eu estou presente compondo a história.

— Que história? Você merece ser sacudida, espanada, aspirada, varrida de todos os lugares.

— Pode ser, mas não me poderão varrer do mundo e nem esquecer que onde houver algum movimento, a poeira se levantará, e mais tarde baixará. Assim é o mundo e para sempre será.

— Para uma poeira, até que você fala bonito. Mas não estou achando muito produtiva esta nossa conversa. Vamos encerrá-la por aqui. Ah, e lá vem minha dona. Eu e ela vamos fazer alguma coisa interessante juntos. Uma boa leitura, um crochê... Você vai ter que sair. Fuuu (sopra).

— Pode trazer aqui minha poltrona — ordena a mulher —, coloque-a no lugar dessa cadeira.

— E onde colocaremos a cadeira, senhora? — Pergunta o empregado.

— Enjoei dela, leve-a para o depósito, mais tarde lhe daremos um fim.

# Uma greve absurda

— Não vou mais aceitar que pisem em mim — disse o assoalho com determinação.

— Não vou mais brilhar sobre ninguém — disse a lâmpada se apagando.

— Eu também não vou mais refletir a imagem de ninguém — disse o espelho, e foi se tornando fosco.

— Não vou mais acolher ninguém sobre mim — disse a cama com decisão.

Logo em seguida, chegou ao quarto o casal dono da casa; estavam ansiosos para descansar depois de um dia extremamente exaustivo. Eva esticou a mão para alcançar o interruptor de luz, apertou o botão, mas a lâmpada não acendeu. Mário tentou entrar mesmo no escuro, mas não pôde pisar no chão.

— O que está acontecendo aqui? — perguntou Mário com autoridade.

— Estamos em greve — gritou o espelho.

— Como assim? — perguntou Eva.

— As coisas de agora em diante vão mudar — disse o assoalho.

— Só queremos deitar em nossa cama e dormir um sono tranquilo — disse Mário.

— Mas não vão mesmo — berrou a cama.

— Espere aí! — ponderou Eva. — O chão existe para ser pisado, o espelho para refletir imagens, a lâmpada para iluminar e a cama para se deitar. Se não for assim, como será de outro jeito?

— Alguém disse que deveria ser assim, mas nós podemos mudar tudo — afirmou o assoalho.

— Isso mesmo! Por que precisamos fazer alguma coisa se nem ao menos fomos consultados sobre isso? — confirmou o espelho.

— E o teto, o que diz? — perguntou Mário. — E as paredes, o guarda-roupa?

— Todos neste quarto aderiram ao movimento — respondeu o espelho.

— Mas o que vocês estão reivindicando? — questionou Eva.

— Quero ser limpo quatro vezes por semana, não apenas duas — disse o assoalho.

— Quero permanecer apagada vinte e quatro horas pelo menos em um dia da semana — disse a lâmpada.

— Também quero uma folga semanal — completou a cama.

— Quero limpeza e descanso semanais — disse o espelho — e o teto e as paredes querem uma pintura nova.

Mário e Eva não tiveram escolha, aceitaram as condições impostas e tiveram que mudar sua rotina em casa, pois os outros cômodos também entraram na luta. Mas, depois de dois meses, o casal avaliou positivamente as mudanças. A casa, com as melhorias exigidas, ficou com um ambiente muito mais agradável e tiveram que comer fora pelo menos uma vez por semana. Isso os fez mais amigos e sociáveis com o mundo. Tiveram também que dormir fora de casa algumas vezes, e isso fez melhorar seu relacionamento. Começaram a prestar mais atenção nas coisas, e isso melhorou sua sensibilidade. Passaram a valorizar mais as coisas que tinham, e por isso deixaram de comprar objetos desnecessários. Enfim, aquela greve absurda deixou um saldo positivo para o casal: quebra da monotonia, mais amizade entre eles, ampliação de seu mundo e de sua rede social.

# Redescobri a alegria de viver

Redescobri a alegria de viver quando vi aquela mulher idosa, quase sem energia para andar, mas com muita força de vontade e um intenso brilho nos olhos.

Redescobri a alegria de viver quando vi aquele homem cansado pela lida diária, mas com bastante disposição para brincar com seus filhos e ainda ser carinhoso com sua esposa.

Redescobri a alegria de viver quando vi aquele jovem livre no agir e no pensar quando a maioria de seus colegas simplesmente se deixou aprisionar e se usar pelos modismos.

Redescobri a alegria de viver quando vi aquela criança brincando e correndo feliz por entre as árvores e as flores.

Redescobri a alegria de viver quando vi uma mãe contando histórias e ensinando lindas canções a seus filhos.

Redescobri a alegria de viver quando vi um casal superando seus problemas com amizade, ajuda mútua, dedicação e verdadeiro amor.

Redescobri a alegria de viver quando vi uma casa toda colorida e enfeitada por fora quando em seu interior existe uma família feliz.

Redescobri a alegria de viver quando vi um novo dia despontando, e novamente pessoas se encontrando e partilhando seus sonhos.

Redescobri a alegria de viver quando vi pessoas trabalhando não só para sobreviver e enriquecer, mas para servir e fazer o mundo melhor.

Redescobri a alegria de viver quando vi o que escrevi, e pude notar que ainda há esperança dentro de mim.

## O ontem já ficou para trás

Outro dia acordei mais cedo do que devia e logo ouvi alguém gritando em meus ouvidos uma mesma palavra que repetia.

Quis calar a voz que estava antecipando minha aurora, estendi os braços, mas não consegui cessar aquela trilha sonora.

Então, eu me conformei em ouvir a balada que dizia: "Ei, meu *amigo*, meu irmão, vamos entoar a poesia cantando o mesmo refrão.

Nada vai ser como antes porque o ontem já ficou para trás, pense que este é o novo dia para você se dar bem, para você ter paz".

A canção era acompanhada de várias cordas e muita percussão.

O ritmo balançante estimulou meu sangue, a batida agitou meu coração.

Lembrei que no dia anterior minha mente estava em guerra com minha alma.

Terminei uma etapa da vida, bastante chateado com a sorte, eu estava sem calma.

Os dias desse passado não foram nem um pouco positivos, senti a tristeza doer no peito, minha cabeça foi invadida por pensamentos esquisitos.

Atinava que não era bom o bastante e nem a vida ou a morte me queria.

Restava-me deixar acesa a lamparina, pois em tempo oportuno apagaria.

Estava mergulhado na lama do marasmo e da desgraça, se não tinha atitude para viver, muito menos teria para acabar com minha raça.

Estava decidido a me confinar em um quarto fétido, a não atender ao telefone e à campainha não dar nenhum crédito.

Mas, felizmente, um rádio-relógio mal programado, equivocamente de madrugada faz ressoar seu chamado. A música que nem era bonita e muito menos erudita, insistia na toada: "Vá para longe deste humano, oh, depressão maldita".

O interessante desse fato é que eu me levantei da cama fazendo a coreografia.

Já não sentia o desânimo, nem aflição, e minha nuca não mais doía.

Encarei que eu tinha mais um dia para proceder.

Eu tinha mais um sol a brilhar, mais uma oportunidade a merecer.

Eu tinha um Deus a me defender e alguns planos a realizar.

Eu tinha até uma festa no fim do dia a que não podia faltar.

Enfim, eu me embalei naquela ritmada e também meus versos compus.

Agora, compartilho com meus amigos especiais essa experiência à qual quero fazer jus.

Algumas frases podem penetrar a veia como injeção eficaz.

Hoje eu sei que de fazer o bem uma palavra bendita é capaz.

# Quando o Senhor decidiu morar entre nós

— O Senhor precisa fazer correções em sua obra — disse o anjo depois de saber das últimas notícias. — Os homens estão muito confusos, não conseguem ser felizes e maltratam uns aos outros. Eles até usam Seu nome para cometer injustiças. Acho que o Senhor lhes deu muita liberdade.

— Não vou tirar-lhes a liberdade — disse o Senhor com decisão.

— Por que não faz um milagre bem grande para que eles não duvidem de que o Senhor existe?

— Não há um milagre maior que a vida.

O Senhor se pôs a pensar em silêncio. Depois, como em um estalo:

— Vou me fazer como eles — disse com entusiasmo.

— O quê?!

— Vou experimentar a limitação humana. Vou nascer de uma mulher, serei uma criança como qualquer outra, uma criança que necessitará de ajuda para aprender a falar, a andar. Uma criança que não viverá sem apoio, sem carinho. Quero viver as diversas fases da humanidade, relacionar-me com outras pessoas e com a natureza. Quero precisar de água, de alimento...

— Mas isso vai mudar alguma coisa no comportamento deles? — interrompeu o anjo.

— Muitos entenderão que o Criador nunca abandona suas criaturas, e por amor, fez-se como elas.

— E por que precisa ser dessa forma?

— Porque eu os criei e os conheço muito bem, mas só os compreenderei plenamente quando experimentar a limitação que eles possuem.

— Mas muitos não acreditarão que é o Senhor!

— Outros acreditarão.

— Por que o Senhor não vai lá de uma forma gloriosa e faz que todos o notem?

— Isso ficará para uma próxima vez, eles ainda não estão preparados para tanto.

E o Senhor assim o fez. Foi rejeitado pelos homens e morto por eles.

— Eu disse que não daria certo. Os humanos são ruins — observou o anjo.

— Foi maravilhoso, agora estou decidido a ficar lá para sempre.

— O Senhor está brincando?! Vão matá-Lo outra vez.

— Não posso ficar distante daqueles que criei. São meus filhos. Quanto mais perto deles, mais fácil será ajudá-los a encontrar a felicidade.

— Mas, como vai fazer para permanecer lá?

— Vou morar no coração daqueles que quiserem me acolher.

Meu querido leitor, que Deus habite sempre o seu coração.

# Oração

A tua palavra diz: "Tu és pó e ao pó voltarás" (Gênesis 3, 19). Sei que nada sou, Senhor, por isso eu preciso de ti. Sinto-me fraco, inútil e incapaz, mas eu te peço: levanta-me deste chão frio, tira-me desta escuridão e devolva-me, Senhor, a alegria de viver. Livra-me da monotonia, da frustração, da incapacidade de fazer a diferença. Renova-me a cada dia no teu amor.

Cura minhas dores de cabeça, minha tristeza, tira-me este aperto do meu coração e ajuda-me a sair desta situação de aprisionamento.

Livra-me desta sensação de vazio e vem, Senhor Deus, vem morar em meu coração.

*Amém.*

# A FÓRMULA DO SUCESSO

*(De acordo com santa Teresa d'Ávila)*

1. Mesmo que cometa muitos erros, não desista por conta disso.

2. É importante não desistir. Consagre um tempo àquilo que acredita, não empreste um tempo simplesmente, mas consagre-o.

3. Esteja determinado a fazer bem o que se propõe e persevere no tempo consagrado a essa prática.

4. Tenha a certeza da importância da causa pela qual está lutando e da necessidade de não desistir.

5. Comece com a certeza de que você não será vencido e que alcançará bom êxito.

6. Não tenha medo de nada e não fique assustado por nenhuma razão.

7. Viva com alegria e liberdade de espírito. Não se preocupe.

8. Tenha humildade. Reconheça e se aceite por aquilo que é. Conserve a serenidade e a paz.

9. Não tenha excessiva segurança em si, expondo-se ao perigo. Desconfie dessa segurança.

10. Tenha consciência de sua miserável natureza e lembre-se de que é lícito espairecer um pouco para depois retomar a prática com mais fervor.

"Venha o que vier, aconteça o que acontecer, custe o que custar, reclame quem reclamar (...), haveremos de prosseguir."

*Santa Teresa d'Ávila.*

## Chuchu quer ser gente — refogado

Chuchu chegou àquela estação que ficava no meio do nada. Percebeu que era o único que saltara do trem nesse lugar. Olhou para um lado, olhou para outro e depois voltou a visão fazendo uma panorâmica de 360 graus, acompanhado do corpo, mesmo porque chuchus não têm pescoço. Retornou no sentido anti-horário, pois algo quase passara despercebido. Ao longe, parecia avistar uma cabana solitária. "Só pode ser ali", pensou. Logo seguiu na direção de sua visão.

Depois de subir e descer alguns morros, chegou ao local. Era uma casa bem velha, o mato começava a entrar pelas portas e as janelas fechadas seguravam os galhos das árvores. Não havia cachorro, nem gato, mas avistou duas ratazanas que fugiam à sua chegada. A construção tinha aspecto de abandonada, mas, mesmo assim, ele resolveu bater palmas e gritar:

— Há alguém em casa? Esperou a resposta, e como não chegou, gritou novamente:

— Olá, tem alguém aí?

Ouviu então o barulho de um recipiente de alumínio caindo. "Deve ser outra ratazana fugindo à minha voz", disse para si mesmo. Mas não demorou e a porta rangeu. Apareceu uma mulher usando um vestido comprido e xale sobre os ombros. Aparentava uns quarenta e cinco anos, seus cabelos estavam despenteados e ela tinha olheiras. Quando viu o visitante, logo gritou:

— Que bom, minha encomenda chegou!

— O quê? — assustou-se Chuchu.

— Quero dizer... meu cliente chegou — corrigiu meio sem jeito.

— Uma pessoa chamada Roque Marques me falou da senhora.

— Roque? — fez cara de surpresa, mas em seguida mudou a expressão. — Claro! Roque Marcos.

— Marques — corrigiu ele.

— Sim, eu o conheço bem.

— A senhora o transformou em gente, lembra?

— Claro! Como poderia esquecer?

— Ele era um jiló...

— Sim, sim.

— Não. Ele era uma abobrinha — corrigiu Chuchu.

— Isso mesmo, uma abobrinha! — concordou a mulher fazendo gestos rápidos e amplos com as mãos.

— Acha que pode me transformar em gente também?

— Claro! Isso é o que eu mais sei fazer — e virando para o lado, completou em voz baixa —, transformar legumes em deliciosas saladas.

— O que disse?

— Transformar legumes em sábias pessoas — dizendo isso, riu e virou-se para dentro. — Entre, meu bem, vamos começar, pois estou com muita fome... de trabalhar. — Voltando-se, disse a si mesma: — Adoro chuchu assado, faz tempo que eu não como um. Aliás, faz tempo que não como nada.

A casa era muito bagunçada: panelas, roupas e outros objetos se espalhavam pelo chão e sobre os móveis. Notava-se muito pó e várias teias de aranha. O ambiente era escuro, recebia luz apenas através de algumas frestas nas paredes feitas de madeira e pelo teto de piaçaba. A mulher acendeu um fogão a lenha e colocou sobre ele um tacho de água. Em seguida, jogou algumas folhas dentro do tacho.

— Estou preparando seu banho — disse olhando para o legume.

— Meu maior sonho é me transformar em gente. As pessoas não me respeitam como sou. Acham que eu deveria estar na feira com os outros chuchus, que deveria fazer parte da refeição das pessoas famintas.

— Concordo plenamente... — mudando o tom — com você em querer ser gente.

— É triste ver meus parentes todos muito quietos, amontoados naquela banca e os feirantes gritando: "Olha o chuchu, abaixou o preço. Um é dois, três é cinco!" Mas a maioria das pessoas nem gosta de chuchu, dizem que não temos gosto de nada.

— Eu gosto demais — disse a mulher — de qualquer jeito, frito, assado, cozido...

— É muito triste ouvir isso da senhora.

— Desculpe, desculpe. Não quis ofendê-lo.

— Não, a senhora tem direito de gostar de qualquer alimento.

— Tenho, não é mesmo?

— Tem sim.

— Que bom! Você é muito compreensivo. Queira então entrar aqui na panela.

Chuchu fez uma cara de desconfiado, mas a mulher tentou corrigir:

— Para seu banho, faz parte do processo de transformação. Logo terá células humanas, órgãos humanos, coração humano...

— Vai funcionar mesmo? — perguntou ele enquanto foi subindo no fogão.

— Claro! Já transformei uma abóbora em leitão, uma mandioca em vaca, um quiabo em frango. — Virando-se para o lado oposto ao legume: — Por que não transformaria um chuchu em um prato mais que saboroso?

— Espero que dê certo — disse Chuchu já entrando na panela —, já tive muitas tentativas frustradas.

— Esta dará certo, você tem que acreditar.

— Mas está bem quente essa água!

— Claro! Tem que ser assim, senão não transforma. É como cozinhar, entende? Você coloca o alimento duro e ruim na água fervendo e ele sai macio e saboroso — e a mulher jogou sal no tacho.

— O que está fazendo?

— Você não conhece o poder transformador do sal? O corpo de um ser humano é salgado.

— Mas a água está quente demais — disse o legume ameaçando sair do recipiente.

— Fique aí — disse ela agressivamente afundando Chuchu.

— Mas eu não estou suportando o calor!

— Agora você sabe como se sente um caranguejo — e soltou uma gargalhada.

Chuchu aproveitou sua risada displicente e pulou da panela.

— Ei, volte aqui. Você não pode me deixar morrer de fome — e ela se lançou sobre Chuchu, que tratou de escapar e correr o quanto pôde. Ela tentou ir atrás dele, mas já estava muito fraca de fome para correr, então, sentou no chão e se pôs a chorar.

— Moço, a que horas passa o próximo trem? — perguntou Chuchu ao funcionário sonolento da estação.

— Só amanhã ao meio-dia.

E Chuchu se atirou na linha do trem.

— Aonde o senhor vai? — perguntou o funcionário.

— Vou voltar a pé.

— Mas as outras estações esperam o mesmo trem que passa aqui.

E Chuchu já ia longe, caminhando rápido sobre os trilhos e olhado para a direção da cabana, certificando-se de que a mulher não o seguira.

Cuidado! Desconfie sempre de quem promete transformações e soluções mágicas. A pessoa pode estar querendo fritar você ou arrancar seu couro.

# Não sou bonzinho

Descobri que não sou bonzinho, pois quiseram me comprar e eu não me vendi. Tentaram me roubar, mas não deixei. Disseram que só consegue algo nesta vida quem é falso e sabe bajular as autoridades. Não fiz uma coisa nem outra.

Avisaram-me que para ser benquisto era preciso dizer o que a maioria dizia, mesmo sabendo que ela não estava com a razão. Contrariei esse aviso, disse o que eu acreditava.

Orientaram-me que se quisesse privilégios deveria ficar quieto e não me sobressair em nada, pois odeiam quem se destaca mais que eles. Conclusão: eles me odeiam.

Mandaram-me ficar calado, mas não obedeci. Ordenaram-me virar estátua, mas eu me mexi.

Pediram-me para não ver as coisas erradas, mas eu abri os olhos. Disseram:

— Seja bonzinho e deixe-se manipular, seja bonzinho e lhe daremos tudo. Seja bonzinho e usaremos você conforme nossa vontade. Seja bonzinho e nos entregue sua liberdade. Seja bonzinho e não precisará fazer esforço, não necessitará usar a criatividade e nem a memória. Não lhe farão falta a sabedoria e nem a inteligência. Seja bonzinho e não precisará ser autêntico, e muito menos sincero. Seja bonzinho e entregue-nos sua liberdade.

Eu respondi:

— Muito obrigado, prefiro fazer minha história, prefiro deixar acesa a luz que Deus acendeu em mim.

# Um amigo muito especial

Gértios estava muito triste e se sentindo só. Achava-se abandonado, sem nenhum amigo. Procurou Órios para um aconselhamento, afinal, este possuía muita sabedoria, e talvez pudesse mostrar-lhe uma luz.

Órios ouviu com atenção o lamento de Gértios, depois fechou os olhos como fazendo uma prece a Deus, e antes mesmo de levantar as pálpebras, disse:

— Você está esquecendo um amigo muito próximo, que é também bastante limitado e carente e está precisando muito de sua atenção.

Gértios endireitou sua coluna e, interrogativo, olhou para Órios. Quis saber quem era essa pessoa à qual se referia seu interlocutor. O sábio senhor, já de olhos abertos, continuou a falar:

— Marque um encontro com esse amigo, vá com ele a um lugar bem agradável. Um lugar que seja bom para ambos. Não economizem tempo quando estiverem juntos. Conversem bastante. Compre um presente para o amigo. Algo de que ele realmente goste. Tente compreender as falhas dele. Não queira que ele seja infalível. Não exija muito do amigo. Saiba dar e receber. Perceba e destaque as qualidades do amigo.

Gértios ouvia tudo atentamente, mas ainda estava com a dúvida em sua mente: "De que amigo falava Órios?".

Mas o sábio senhor logo lhe respondeu:

— O amigo é você mesmo. Você se sente desprezado, mas não valoriza a si próprio como alguém muito especial. O menosprezo de si mesmo não atrai o carinho de outros. Se você não se gosta, quem irá gostar?

Fazer o bem ao outro é importante, mas é preciso também fazer o bem a si próprio. Isso não é egoísmo. O amor por si mesmo foi deturpado e até evitado por muitos. Mas não há relacionamento autêntico com outro sem um relacionamento sadio e carinhoso consigo mesmo. Por isso, seja seu próprio amigo, talvez o melhor. Não queira ser o que não é, respeite suas limitações e valorize-se naquilo que tem de bom.

Faça assim e perceba a diferença. Com certeza aquela angústia desaparecerá. A solidão dará lugar à possibilidade de fazer outros amigos, pois, ao contrário do que muitos pensam e ensinam, o amor-próprio não isola ninguém, nem afasta a pessoa do convívio social, mas sim faz melhorar a qualidade dos relacionamentos.

Lembre-se hoje: um amigo muito especial precisa de você.

# Violência disfarçada

Quer destruir alguém? Não o ataque, simplesmente isole-o. Não solicite seu serviço, não conte com seu talento.

Quer chatear uma pessoa? Não a ofenda, simplesmente finja que ela é invisível.

Quer matar alguém? Não lhe dê um tiro, mas faça que ela se sinta indesejável, despreze seu trabalho.

Quer que uma pessoa vá para o fundo do poço? Não precisa empurrá-la, basta desmerecer as coisas mais belas e mais importantes que ela faz.

Quer afogar alguém na lama? Não é necessário afundar sua cabeça, basta sujar sua reputação com calúnias e fofocas.

Quer enterrar uma pessoa viva? Não precisa cavar-lhe uma cova, basta jogar areia sobre sua obra e sua história.

Quer despedaçar alguém? Não precisa atirar-lhe uma granada com o pino retirado, basta deturpar seus gestos de amor e de fé.

Quer perfurar o coração de uma pessoa? Não é necessário enfiar-lhe uma faca no peito, basta desfazer as coisas mais bonitas que ela fez até o momento.

Quer apunhalar alguém pelas costas? Não é preciso cravar-lhe o metal traiçoeiramente, basta espalhar mentiras que vão danificar sua boa fama.

Quer ver uma pessoa na sarjeta? Não precisa tirar tudo que ela tem, basta roubar-lhe o prestígio.

Quer ver alguém cair no precipício? Não precisa sabotar o freio de seu carro, basta destruir seu amor-próprio.

Quer torturar até a morte uma pessoa? Não precisa fazer cursos para aprender as técnicas, basta arrancar uma a uma as coisas de que ela mais gosta.

Essa mensagem é para que você tome consciência de que há tipos de violências que destroem tanto quanto a violência física. Portanto, mantenhamos nossas mãos limpas.

# Oração

Senhor meu Deus, ajuda-me a alcançar sucesso em todos os meus empreendimentos. Não permita que eu desista, por qualquer motivo, das minhas buscas e dos meus sonhos. Dá-me a graça de ser perseverante e perseguir meus objetivos com empenho e bom desempenho. Sei que encontrarei obstáculos pela frente e, até mesmo, pessoas que irão querer me atrapalhar, mas não me deixes abater por oposições e críticas. Eu só te peço, Senhor: Livra-me do mal. Livra-me de toda violência. Livra-me daqueles que querem me devorar. Livra-me daqueles que querem me derrubar e me fazer abandonar os meus projetos. E que eu nunca seja como eles.

É o que eu te peço, Senhor, agora e sempre.

*Amém.*

# Sarcófago

Sarcófago é o seu apelido desde criança. Ele não gosta de nada que tenha qualquer coisa de moderno. Para se ter uma ideia, ele ainda anda de charrete — para quem não sabe, é uma carroça com tração animal. Ele tem caneta-tinteiro e só recentemente aceitou usar uma máquina de escrever, mas não elétrica. Isso porque está elaborando o roteiro de um filme. Claro que o longa-metragem será em preto e branco e mudo. No momento, ele está procurando alguém para dirigir seu filme.

— Com licença. Eu sou Paulo Cabral e gostei muito de seu projeto, adoraria trabalhar com o senhor.

— Quantos anos você tem? — perguntou Sarcófago.

— Vinte e oito anos.

— Você é muito novo. Aposto que nunca dirigiu um filme mudo.

— Mas sempre tive vontade. Sem o recurso da fala, as imagens ganham muito mais força.

— Você é muito jovem, quero alguém com...

— Mais experiência?

— Alguém que conheça o passado.

— Sou eu. Gosto dos antigos: filmes, músicas, carros, casas...

— Você não serve. Veja suas roupas: calça *jeans*, camiseta, boné...

— Mas o senhor não devia me julgar pelas roupas. Já fiz muitos filmes contando histórias do passado.

— O senhor sabe usar computador?

— Claro que sei.

— Está aí, não serve. Em sua casa há ferro de passar roupa elétrico?

— Sim.

— Não serve. Fique sabendo que em minha casa só usamos ferro de carvão, fogão a lenha e lampião.

— Puxa, é o máximo! Muito original.

— Como é seu banheiro?

— É bem estilo antigo, com azulejo português que meus avós usavam.

— Pois fique sabendo que ainda usamos latrina.

— Então o senhor não tem chuveiro elétrico, a gás, ou a energia solar e nem aquecimento central?

— Claro que não, e tomamos banho de bacia lá em casa.

— Que máximo! O senhor está realmente fazendo um laboratório para seu filme! *Show*!

— Você deve ser do tipo que gosta das coisas antigas só no museu. Pois eu não. Eu tenho, uso e prefiro.

— Que máximo! Estou adorando seu estilo. O senhor ainda usa fumaça e tambor para se comunicar?

— Aposto que você nunca escreveu uma carta de próprio punho usando uma caneta.

— Eu...

— Você tem aparelho de DVD?

— Sim, mas tenho um videocassete também.

— Pois eu não. Tenho um projetor super-8 que não troco por nada.

— Acho que nossa parceria vai ser muito boa. Quando começo a trabalhar em seu roteiro?

— Acho que não será possível, o senhor é muito moderninho. Até seu jeito de falar...

— Nada. Eu sou o cara mais retrô que existe. Sou muito arcaico, tomo café em copo americano... sabe como é? Tenho até uma coleção de Elvis Presley em disco de vinil.

— Meu filme vai se chamar *Nos tempos do Onça.*

— Opa. Havia um governador do Rio de Janeiro muito bravo que tinha o apelido de Onça. Mais tarde, as pessoas se lembravam dele com saudade: "Nos tempos do Onça aqui era melhor"— diziam. Depois, passou a significar coisa antiga.

— Esse governador e capitão do tempo do império disse uma frase que ficou célebre: "Nesta terra todos roubam, só eu não roubo".

— Adorei o tema do filme. Vamos ganhar o Oscar com ele.

— Você está contratado desde que consiga Elizabeth Taylor para o papel principal.

— Mas ela morreu em 2011.

— Ah, já percebi que você é daqueles que sempre reclamam de dificuldades para fazer as coisas.

— Não, eu vou tentar.

— Se quiser o trabalho, diga que vai conseguir.

— Opa. Tá na mão.

Não importa se você é moderno ou conservador, o importante é fazer aquilo que gosta e em que acredita.

# Como o sol

Quer saber de uma coisa? Nunca mais vou me sentir culpado quando eu estiver deitado em uma rede. Nunca mais vou me sentir culpado quando estiver totalmente relaxado e tranquilo. Nunca mais vou me sentir culpado por ficar feliz. E quando estiver triste, também vou me dar esse direito. Quando sentir meu peito apertado, vou soltar a voz e gritar.

Podem me chamar de louco que não vou ligar. Por que tenho que sufocar minha voz? Devo me agitar e me irritar somente para seguir o ritmo dos outros? Quando o mundo inteiro estiver correndo, desde a manhã até a noite, vou ser o único a parar e apreciar o nascer e o pôr do sol. Quando todas as pessoas à minha volta estiverem bajulando seus superiores para conseguir algo, vou ser sincero, mesmo que por isso eu não ganhe nenhum cargo de confiança. Quando a rotina para todos for se deixar manipular pelos grandes meios de comunicação, vou continuar fazendo minhas escolhas com liberdade.

Quando todas as pessoas estiverem conformadas com a prisão do espírito, dizendo que isso é preciso para manter a ordem, vou me rebelar e exigir meu livre-arbítrio. Quando os homens criarem diversas regras imbecis e quiserem sujeitar os outros com elas, vou quebrá-las, mesmo que me acusem de contraventor. Quando todos estiverem interpretando uma farsa, não vou sentir vergonha de ser eu mesmo, podem até me achar ridículo.

Enquanto os homens se dizem perfeitos e destemidos, eu assumo minhas falhas: tenho medos sim, e muitos erros também. Mas também percebo a multidão de falhas da humanidade, e, principalmente, os equívocos de um jogo chamado sociedade. Entendo que o mundo dos homens é seletivo, as escolhas são feitas por interesses egoístas. Então, não vou me sentir inferior por não ter sido escolhido. Entendo que o sucesso é um produto e sua fabricação é feita em pequena quantidade para se vender mais caro. Por isso é melhor ser uma obra-prima de verdade, mesmo que o mercado não lhe dê valor.

O mundo dos homens desenvolveu a arte do ilusionismo e a capacidade de enganar. É melhor tomar consciência da ilusão e não se deixar ludibriar. Se o mundo dos homens destrói a natureza e toda sua diversidade, por que vai querer preservar a alma do ser humano? Por isso, não vou esperar que o mundo se converta, vou fazer minha parte.

O sol agora brilha sobre mim com a mesma intensidade que brilha sobre todos; não vou me julgar indigno de receber esses raios de luz. Estou feliz porque o mundo dos homens ainda não conseguiu controlar esse astro como fez com a Terra. E não vou deixar que controlem meu espírito, pois ele é como o sol: brilhante, expansivo e poderoso.

# O tempo de cada coisa

Certa vez, o Senhor do Tempo pediu a quatro anjos que visitassem cada um uma estação do ano diferente e voltassem com algo significativo. Eles se dividiram em diversos países, empenhados em cumprir a missão. Logo que retornaram, o primeiro disse sorridente:

— Olhe esta cor linda que adquiri no verão.

O segundo disse exultante:

— Eu trago flores da primavera.

O terceiro também mostrou muita alegria:

— Experimente estas frutas que eu colhi no outono.

O quarto disse, não menos feliz:

— Eu trouxe gelo do inverno.

No entanto, quando abriu sua mala, perceberam que nada havia, pois o gelo derretera na viagem de volta. O quarto anjo quis chorar de desgosto, os outros três riram dele.

Envergonhado, procurou se desculpar com o Senhor do Tempo, mas Sua Majestade falou.

— Deixem as flores e os frutos aqui e todos vocês voltem amanhã.

Eles voltaram e constataram que as flores estavam murchas. O Senhor do Tempo pediu que retornassem dois dias depois; assim fizeram, e perceberam que as frutas estavam podres. Despediram-se com a ordem de que retornassem depois de três dias.

Quando se encontraram novamente, perceberam que o anjo que visitara o verão estava branco novamente, perdera sua cor bronzeada. Então, o Senhor do Tempo explicou:

— Cada tempo é um tempo. O gelo derrete a seu tempo, a flor murcha, a fruta apodrece e a cor desaparece. Não se pode medir a importância de algo por sua duração. Cada coisa na natureza tem seu valor. Assim também é na vida humana. Um sentimento, um pensamento, um gesto não tem mais ou menos valor por causa de sua duração cronológica. Um beijo de um quarto de segundo pode ser tão verdadeiro ou falso quanto um abraço de trinta segundos. Um relacionamento de um mês não tem menos valor que um relacionamento de um ano por causa do tempo. Uma pessoa de cinquenta anos não é mais importante que uma de cinco meses. Uma vida que durou dez anos não foi de menor importância que uma de noventa.

O tempo não determina a importância de alguém, de um objeto ou de um evento. Uma palavra pode exercer tanto poder sobre alguém quanto uma palestra.

# VOCÊ JÁ CUIDOU DE ALGUMA PLANTINHA?

É importante conversar com as flores. Sim, elas ouvem e, às vezes, dialogam mais que as pessoas. Eu mesmo digo que temos que aprender com elas, mas não aprendo a ficar em silêncio como elas. Estão ali paradinhas e não reclamam, mesmo quando sentem necessidade de algo. Como a grama que não grita quando é pisada.

Aprecio as plantas no parque e percebo como elas são felizes! Uma vez, caminhava por um jardim e senti um perfume diferente. Quis saber de onde vinha e comecei a procurar a flor que exalava tão doce aroma. De repente, não tive dúvidas: era ela. Então, quis chegar mais perto. O odor ficou mais forte. Nem assim me dei por satisfeito. Aproximei meu rosto para sentir a intimidade de sua fragrância.

Realmente era deliciosa! Eu poderia ter ido embora com o perfume ainda em minhas narinas, mas não foi o que eu fiz. Desejei tocar a flor. Pedi: “Posso colher em minhas mãos um pouquinho de seu cheiro?”.

Suavemente, acariciei suas pétalas. Depois, afastei-me e passei horas com a mão no rosto. Desejava que o perfume não acabasse. Aquele cheiro me fazia sentir muitíssimo bem, mas ele foi enfraquecendo e enfraquecendo, e antes que terminasse de vez, voltei correndo ao jardim.

Procurei por minha flor, mas não a encontrei. Ela havia sido colhida dali. Perguntei ao jardineiro sobre ela. Ele respondeu que havia sido colocada em um vaso e transportada para a casa de certo alguém.

Desde então, fico pensando como ela deve estar. Será que recebe a atenção que merece, será que valorizam sua beleza e seu perfume? Será que é feliz como era no jardim ou simplesmente se conforma com sua nova condição?

Penso que nunca mais poderei ver aquela flor, pois agora ela tem um dono. Nunca mais sentirei seu perfume novamente, pois agora ela é de propriedade particular.

Os colibris não se importam em partilhar seu néctar, mas o homem toma posse como se pudesse controlar a natureza das coisas. Como se pudesse mudar o curso do rio para que molhe somente seu chão. O mesmo homem que inventou as cercas, o mesmo homem que construiu os muros. O mesmo homem que deixou a flor murchar.

Onde estará aprisionada? Em um vaso de plástico qualquer, ou em um vaso de cerâmica todo enfeitado. Não importa. Uma gaiola é sempre uma gaiola.

Como um canário-do-reino em uma gaiola de ouro. Como um curió, um pássaro-preto, um coleirinha ou um azulão, não importa a prisão para quem só cometeu o crime de cantar bonito.

A verdade é que não poderei sentir seu cheiro outra vez, mas vou dar um jeito em minha saudade. Se fosse um poeta, eu a transformaria em versos; se fosse um trovador em canção; se fosse água e pudesse contar com o sol, transformaria minha saudade em lindas nuvens como de algodão.

Se fosse um romântico, transformaria a saudade em lágrimas; se fosse um boêmio, em noites de luz. Se fosse uma criança, transformaria em brincadeira; se fosse um idoso, em lembranças. Mas como não sou nada disso, vou transformá-la em esperança.

Esperança de que a primavera de minha felicidade em breve volte. Mas, se ela nunca mais voltar, valeu o instante em que a flor se abriu.

# O tesouro e o sapo falante do rei

JC estava com 12 anos e JB com 10, eram irmãos e tinham uma fantasia em comum. JC se dizia o rei e JB o príncipe. Acreditavam que possuíam um grande tesouro escondido, e se o achassem, poderiam formar seu reino, construir um castelo e montar um grande exército.

Enfim, haviam adquirido um mapa. Era um papel de embrulhar pão no qual seu pai havia feito um esboço da região para ensinar um caminho a alguns homens, que, vindos de fora, procuravam um determinado lugar. Esse lugar estava assinalado com um "x", e para os meninos era exatamente onde estavam as joias.

Havia vários dias estavam cavando em diversos locais com o intuito de encontrar o baú contendo as preciosidades. Até que, enquanto feriam o solo perto de um brejo, ouviram uma voz:

— Olá.

Pararam o que estavam fazendo e procuraram de onde vinha o som. Não viram ninguém, apenas um sapo. Voltaram ao trabalho pensando que haviam ouvido mal.

— Olá — ouviram novamente.

Quando se viraram, perceberam que o sapo olhava para eles e mexia a boca.

— O que vocês estão fazendo?

Não podiam acreditar no que estavam vendo e ouvindo. Pensaram que, por terem cavado demais, estavam delirando, mas ficaram olhando para o bichinho, que, por sua vez, questionou sem nenhuma inibição.

— Vocês não deviam cavar aí, podem causar um estrago no terreno.

— JB, o sapo está falando conosco?

— JC, se sapos falassem, eu diria que sim.

— JB, mas se sapos não falam, por que esse está falando conosco?

— Não sei, JC. Vou perguntar para ele.

— Mas JB, se não acreditamos que sapos falam, por que vamos perguntar para ele?

— Você tem razão, JC. Não vou perguntar nada.

— Um dos dois poderia me dar atenção, por favor? — disse o sapo já meio impaciente.

— JB, eu acho que o sapo fala mesmo.

— Eu também estou achando, JC.

— Não, eu não falo não. Só estou dublando esta árvore aqui do meu lado — disse o sapo com bastante sarcasmo.

— JB, será que ele é nosso tesouro? — perguntou baixinho o irmão mais velho.

— Vamos pegá-lo?

E rapidamente avançaram sobre o sapo, capturando-o.

— Ei, soltem-me — gritou o sapo —, vocês não têm o direito de me aprisionar. Sou um animal livre, conheço meus direitos.

— JC, pegue o saco. Finalmente temos nosso tesouro.

— Eu vou processar vocês — continuou o sapo —, estão interferindo na fauna prendendo um animal silvestre. Imaginem o desequilíbrio que vão causar na natureza. Ela ficará empestada de insetos. Tirem-me desse saco horrível e fedorento.

— É incrível, JC! Vamos mostrá-lo para papai.

Voltando para casa, os meninos encontraram uma mulher lavando roupa no riozinho que ali havia.

— Mamãe, encontramos um sapo que fala — gritou JB ainda ao longe.

— Ahhh! Não cheguem perto de mim com esse bicho asqueroso — esbravejou a mulher.

— Onde está papai, mamãe? — perguntou JC, mesmo de longe.

— Está consertando a bomba d'água — respondeu ela quase gritando.

O pai estava quebrando a cabeça tentando remontar o objeto que tinha suas peças espalhadas pelo chão.

— Papai, queremos que veja isto — disse o menino mais velho.

— Não percebem que eu estou ocupado — respondeu o homem sem erguer os olhos.

JC tirou o sapo do saco e ficou segurando-o na mão. O animal coaxou.

— Fale alguma coisa, sapo — ordenou JC.

— Fale, sapo — repetiu JB.

O pai finalmente levantou a cabeça e disse:

— Deixem de bobagem e levem o bicho de volta para onde o encontraram.

— Papai, este sapo fala — disse JC.

— É verdade, papai — repetiu JB.

— E daí, vocês também falam, e às vezes prefiro que fiquem bem calados — disse o pai voltando sua atenção para os objetos que estavam no chão.

— Mas ele é nosso tesouro! — argumentou JC.

— O sapo falante do rei — completou JB.

— Vocês têm brinquedos, não precisam brincar com um sapo — disse o pai com autoridade. — Levem-no de volta agora mesmo.

E os meninos, contrariados e decepcionados, fizeram o que o pai ordenara. Levaram o bichinho para o mesmo lugar onde o haviam encontrado.

— Muito obrigado — disse o sapo —, é assim que meninos inteligentes devem agir.

— JC, agora ele está falando de novo!

— Não, é minha língua que está falando — retrucou o sapo.

— Acho que perdemos nosso tesouro — lamentou JC.

O sapo deu um pulo para frente e gritou:

— Agora vocês vão ter que me explicar. Respondam: Que história é essa de tesouro?

— Eu sou o rei JC e ele é o meu irmão e príncipe JB. Nós estamos procurando nosso tesouro.

— E eu sou o príncipe que virou sapo e que vai receber um beijo da princesa e voltar a ser humano — disse o sapo com ironia. — Se vocês são rei e príncipe, têm que aprender a conversar com os outros e não podem sair por aí fazendo o que bem entendem. Que realezas são vocês que não respeitam o próprio reino?

— Desculpe, senhor sapo — pediu JC humildemente.

— Agora sim — disse o sapo, e deu outro pulo para frente. — Venham comigo, vou mostrar onde está o tesouro.

— Sério? — perguntou JC.

— Claro.

E o sapo os levou para um lugar onde havia uma pedra bem grande.

— Sentem-se, majestosos amigos — pediu o sapo gentilmente.

— É aqui que está o tesouro? — perguntou JB.

— Olhem. Ali é o rio Rubi — apontou o sapo, — do outro lado está o lago Esmeralda. Mais adiante é o vale do Diamante. Indo para o sul está a colina do Ouro. E sabe como chamamos a mata que fica ao norte?

— Floresta Safira — respondeu JC.

— Ah! Então você sabe!

— Aqui no nosso mapa está indicado como "F. Safira".

— Então, o mapa está sendo mais bem decifrado agora, não é? — observou o sapo.

— Então, quer dizer que o verdadeiro tesouro é tudo o que há por aqui? — perguntou JC, como quem encontrava enfim a peça que faltava do quebra-cabeça.

— Tudo o que há? — repetiu JB.

O sapo balançou a cabeça e tirou a língua para fora, aproveitando para comer uma mosca que ia passando.

— Mas, e você, quem é? — perguntou JC.

— Podem me chamar de Sapo Falante do Rei — e pulou em direção ao seu *habitat*, afastando-se dos meninos.

O tesouro mais valioso está ao nosso redor e o verdadeiro castelo é o lugar onde vivemos.

# Oração

Senhor meu Deus, permita-me viver minha vida fazendo o que gosto e acredito. Hoje sei que não preciso de muito, mas do suficiente, que eu saiba valorizar o que tenho: o meu trabalho, a natureza e, principalmente, as pessoas que tu colocaste no meu caminho.

Senhor, hoje percebo que a infelicidade está na não aceitação de si mesmo, dos outros e da realidade. Viver insatisfeito com tudo e com todos constitui uma prisão para alma, por isso te peço: quebra as prisões do meu espírito e conceda-lhe um *habeas corpus*. Que a luz da liberdade brilhe sobre mim e sobre todos os meus. Ensina-me a valorizar sempre a liberdade e que eu não queira aprisionar ninguém.

Senhor, que eu saiba que o valor das coisas, dos relacionamentos e da própria vida não pode ser medido pelo tempo de duração. As coisas e as pessoas têm valor independentemente do tempo que ficamos juntos. Que eu aprenda isto e nunca me esqueça para que goste dos momentos e não deixe para depois o que posso viver agora.

*Amém.*

# Como folha de papel amassada

Quantas vezes durmo não para descansar, mas com a esperança de sonhar com uma vida diferente. Quantas vezes choro sem derrubar uma gota de lágrima. Quantas vezes sinto que meu coração é uma bomba que está prestes a explodir.

O mundo parece mesmo um tabuleiro de xadrez que está sendo jogado em todo o planeta, como disse Lewis Carroll por meio da personagem Alice; mas eu já sofri um xeque-mate faz tempo. Percebo a solidão e a tristeza a minha volta e penso que estou vendo, como em um espelho, a imagem de minha própria angústia.

Procuro um sentido para a vida, uma motivação para a existência. Ocupo-me de várias coisas, aumento minhas atividades, diminuo o tempo de ociosidade, invento qualquer coisa para fazer. Porém, o desespero cresce quando tudo isso faz menos sentido ainda.

Vem à mente um pensamento estranho, real, não sei: "Será que a vida me prepara para a morte?". É como se ela alertasse: "Desapegue-se de mim porque daqui a pouco teremos de nos separar". Eu me calo, não falo nada, não partilho essas ideias doentias porque há uma obrigação de ser otimista, de estar o tempo todo de bem com a vida. E eu mesmo concordo com isso. O sentimento ruim atrapalha as relações, prejudica a saúde, diminui meu rendimento profissional e bloqueia meu aprendizado. Assopro essas nuvens escuras dos meus pensamentos. Tento remover essas pedras da aflição, tento arrancar essas ervas daninhas que brotam no jardim, que, dizem, deve ser apenas para cultivar rosas sem espinhos. Entretanto, o jardim está repleto de larvas e insetos, os beija-flores foram engaiolados, as borboletas espetadas no álbum de um colecionador, as flores arrancadas estão murchas em um vaso ou arranjo qualquer.

Quando eu era criança, sentia algo terrível dentro de mim quando via um pedaço de papel ou de pano todo amassado. Hoje não tenho a mesma imagem, mas o sentimento reaparece. Minha vida foi amassada, minhas certezas foram trituradas, meus sonhos foram marretados. Quanto mais tenho que falar de esperança, mais o medo se apodera de mim; quanto mais tenho que incentivar a fé nos outros, mais a dúvida se multiplica em minha cabeça. Quanto mais tento aumentar a confiança de meus amigos, mais desacredito de mim mesmo. Quanto mais anuncio cura e saúde aos meus irmãos, mais adoece minha alma.

E é nessas horas que nenhum remédio faz efeito, nenhuma balada traz solução, nem o trabalho substitui o mal-estar. Então, simplesmente faço uma oração e digo: "Senhor, me ajude". Ou não digo absolutamente nada e me entrego somente. Não pense que minha fé é bastante, que minha devoção é madura. Coloco-me diante de Deus como uma cepa seca, como um tubérculo podre. Somente o criador pode consertar sua criatura. Somente Deus pode recolocar um sopro de vida dentro de mim. E assim sigo a jornada, agradecendo e louvando ao Pai.

# Era uma vez um moço e uma moça

"Não é por luxúria que me caso com esta minha irmã, mas com reta intenção. Tem misericórdia de mim e dela e que possamos chegar, os dois, a uma venturosa velhice." Disseram ambos: "Amém, Amém".

*Tobias 8, 7-8*

Era uma vez um moço e uma moça que se conheceram, se gostaram, namoraram e decidiram se casar. A cerimônia do matrimônio foi linda e emocionante, a lua de mel foi maravilhosa, o primeiro dia de recém-casados inesquecível.

Ela disse:

— É um sonho bom que está se realizando.

Ele disse:

— Se é um sonho, não quero acordar nunca.

— Tomara que todos os nossos dias sejam assim — disse ela.

E ele disse:

— Eu e você, você e eu para sempre juntos.

Acontece que um anjo ouviu a conversa dos jovens apaixonados e perguntou:

— É isso mesmo que vocês querem?

Ela disse:

— Sim.

— Sim — disse ele.

E o anjo falou:

— Que assim seja.

E assim se fez. Todos os dias foram iguais para o casal. Sempre as mesmas conversas, a mesma comida, os mesmos sonhos, a mesma realidade, sempre os dois e somente os dois. Passaram-se os anos, e na vida deles tudo continuava igual. A rotina começava a sufocar o amor que um sentia pelo outro, a monotonia começava a corroer o prazer que um sentia de estar ao lado do outro. Então, os assuntos repetidos deram lugar ao silêncio, as comidas se multiplicaram, pois o alimento se tornou a única forma de prazer. O que era um sonho começava a se tornar um pesadelo, a realidade da vida a dois foi ficando insuportável.

As ideias ruins invadiram a mente dos dois.

Ele pensava: "Que vontade de viver uma aventura". Ela pensava: "Meu marido está me traindo". Tudo que ela fazia o desagradava, tudo que ele fazia despertava mais suspeitas nela.

A mulher gritou:

— Você não me ama mais!

O homem retrucou:

— Você é quem não me ama mais.

Ela pediu a separação. Ele arrumou suas coisas e foi embora. Ela se sentiu aliviada. Ele se viu livre finalmente. Mas a saudade bateu, tanto no coração de um quanto do outro.

Ele ligou e disse:

— Alô. Senti saudades.

Ela disse:

— Volte para casa.

E assim reataram sua união; mas ele propôs:

— Vamos quebrar a rotina daqui para frente.

Ela disse:

— Não vamos nos fechar em uma vida a dois.

— Que cada dia seja diferente do outro — disse ele.

— Que nosso lar não seja um cárcere — disse ela.

— Certidão de casamento não é garantia de felicidade eterna — disse ele.

E ela disse:

— Certidão de casamento é compromisso de construirmos juntos uma história de lutas e vitórias.

E o anjo novamente ouviu o diálogo e perguntou:

— Têm certeza disso?

Ambos responderam que sim.

O anjo disse:

— Que assim seja. Amém!

# Não dá mais pra fugir

"Mesmo quando dorme na cama, de noite o sonho perturba os seus pensamentos. Repousa pouco, ou quase nada. Mas tanto no sono, como acordado em pleno dia, fica perturbado pelos fantasmas da sua mente, como quem fugiu da batalha"

*(Eclesiástico 40, 5-6).*

Quantas vezes me sinto assim como diz o livro bíblico! Confuso, sem conclusão dos meus pensamentos, mal consigo dormir e os pesadelos me atormentam até quando estou acordado. Quero espantar os fantasmas da minha mente, mas eles insistem em me incomodar.

Assim ficam todos os que fogem da luta. Os que não realizam seus sonhos, nem mesmo buscam realizá-los. Hoje, quero tomar consciência das minhas fugas, pois somente então poderei acertar as contas com as insatisfações e as frustrações que me acompanham.

Tenho fugido da luta comigo mesmo quando evito sentir, desejar, quando tento reprimir minhas emoções. Quando nem mesmo quero falar sobre o que está certo e errado em minha existência. Tenho fugido quando finjo que está tudo bem e me conformo com as coisas que me acontecem ou deixam de acontecer. O pior inimigo sou eu mesmo, quando eu não me encaro, me persigo e me machuco.

É preciso não ter medo de falar sozinho, de encarar os próprios pensamentos e sentimentos. Se eu não fizer isso, os fantasmas continuarão a me assustar.

Tenho fugido do combate quando não uso os talentos que tenho, quando digo que a luta já está perdida, quando digo que não tenho chances, quando penso que já estou velho e que meu tempo já passou. Quando não encaro novos desafios com vontade e com disposição para a vitória. Quando não busco novas aventuras, quando não me permito brincar, esquecendo que a brincadeira é um jeito maravilhoso de ser feliz.

Tudo isso reprimido se transforma em fantasmas que farão dos meus poucos minutos de sono horas de pesadelo. Se a carteira de identidade a revelar minha idade é motivo para me tirar a vitalidade, vou rasgá-la. Se meus cabelos brancos inibem minhas atitudes de criança feliz, vou pintá-los ou depilá-los. Se as juntas dos meus ossos não me permitem pular, dançar e fazer estripulias, vou colocar nelas o óleo do espírito da alegria. Se eu sentir que já não tenho asas como na infância, vou me agarrar à águia da liberdade e voar bem alto.

Não dá mais para fugir da guerra, é melhor lutar e perder que viver a vida se escondendo, evitando qualquer confronto. Vou ficar cara a cara com os fantasmas, porque se eles me derrotarem hoje, amanhã já os conhecerei melhor para traçar minhas estratégias de combate. E se novamente for vencido, vou levantar a cabeça com orgulho e dizer para que todos ouçam: “Sou um guerreiro que não foge à luta”.

# Oliveira sonhava ser como a maioria

Quando certa vez a professora perguntou aos alunos qual a profissão que queriam exercer, Oliveira respondeu que desejava ter a profissão que a maioria tinha. Ele queria ganhar dinheiro como a maioria, comprar as coisas que a maioria comprava. Oliveira assistia aos programas de tevê a que a maioria assistia, lia somente os livros que a maioria lia e às vezes não lia nenhum, como a maioria.

Oliveira frequentava os lugares que a maioria frequentava, tomava refrigerante e bebia cerveja como a maioria. Oliveira ouvia as músicas que a maioria ouvia e gostava daquilo de que a maioria gostava. Oliveira também tinha seus erros, como a maioria, e como a maioria também acertava de vez em quando. Oliveira pensava como a maioria, defendia ideias que a maioria defendia e votava com a maioria.

Oliveira não queria nada que a maioria não quisesse, não fazia qualquer coisa que a maioria não fizesse, não via outra coisa senão o que a maioria via. Oliveira sorria com a maioria e chorava com a maioria. Oliveira nunca disse nada que a maioria já não houvesse dito. Oliveira desejava estar sempre com a maioria e proclamava: "É melhor errar com a maioria que acertar sozinho". Oliveira venerava a maioria e seguia a maioria. Comia e se vestia como a maioria.

Oliveira casou-se como a maioria e como a maioria teve filhos. Como a maioria dos pais, seu desejo era ver seus filhos fazendo o que a maioria fazia. Mas um dos filhos não comungava com a maioria e quis viver com a minoria. Oliveira ficou frustrado, como ficaria a maioria dos pais.

Seu filho se rebelava contra a maioria e defendia ideais de uma minoria. Oliveira tomou a atitude que a maioria tomaria: cortou a mesada do filho e pressionou-o a agir como a maioria. Mas o filho não cedeu, mesmo tendo a maioria contra ele, continuou a andar com uma minoria.

Oliveira, cada vez mais desgostoso, ficava nervoso como a maioria ficaria, e assim, como a maioria das pessoas desgostosas e nervosas, caiu doente. Como a maioria dos doentes, Oliveira queria ficar curado. Certa vez, participando de uma missa para os doentes, ele ouviu o padre falando da necessidade do perdão. Mas somente uma minoria acatou a palavra e perdoou de coração. Oliveira, como a maioria, morreu sem perdoar seu filho, sem tentar compreendê-lo. Oliveira foi velado e enterrado como acontece com a maioria.

# Quinze dicas para você se dar bem na vida

Não critique apenas; elogie o que é bom e dê sua contribuição também.

Não faça a outros o que não gostaria que fizessem a você.

Não condene as pessoas, pois todos nós podemos errar.

Não guarde rancor de ninguém, pois se fizer isso estará prejudicando a si mesmo.

Não se feche em si mesmo e nem em seu grupo, abra-se à possibilidade de novos contatos.

Não pense que pode viver sozinho; ninguém é autossuficiente.

Não tire a esperança de ninguém. Se puder, incentive, mas nunca destrua a fé das pessoas.

Não espalhe informações confidenciais. Se souber alguma coisa íntima de alguém, guarde para si.

Não economize sorriso, aperto de mão e simpatia. Essas coisas você pode gastar à vontade.

Não desvie o olhar quando conversar com outra pessoa. Olhar nos olhos é importante.

Não espere algo fantástico acontecer para comemorar. Você pode se alegrar com as coisas simples da vida.

Não meça sua importância pelo que você tem (bens, cargos); você simplesmente é importante.

Não espere as oportunidades baterem à sua porta, vá atrás delas ou crie-as você mesmo.

Não aceite fazer o papel de pedra no sapato dos outros. Seu valor nem se compara ao de uma pedra.

Não se acomode com aquilo que já sabe, lembre-se de que você tem capacidade de aprender sempre mais.

# Oração

Senhor meu Deus, eu te peço com fé: ajuda-me a encontrar um sentido para minha vida. Minha mente está confusa e meu coração está doendo. Não sei o que pensar e como curar minhas emoções, por isso eu entrego tudo em tuas mãos. Ilumina os meus pensamentos e os meus sentimentos. Que os teus anjos me tragam agora a luz, a saúde e a paz.

Dá-me coragem para encarar os fantasmas que insistem em me assustar. Dá-me força para enfrentar as lutas desta vida e dá-me talento para que eu não mais fuja dos desafios. Que eu não mais tenha medo das pessoas, que eu não tema ser magoado, decepcionado ou ficar frustrado e ensina-me a ser autêntico tanto nos relacionamentos, na profissão quanto no dia a dia. Cura-me do medo de emitir minha opinião, de expressar minhas emoções  e de ser eu mesmo. Ajuda-me também a compreender aqueles que não pensam e agem como eu acho que deveriam pensar e agir.

Senhor, com a tua graça eu vou me dar bem em todos os setores da minha vida: profissional, sentimental e familiar. Que assim seja.

*Amém.*

# O uniforme

Maria tinha os cabelos vermelhos e só usava vestido de bolinhas vermelhas. Ela morava em uma casinha vermelha lá onde o sol da tarde é extremamente vermelho. Maria era filha única, o pai todos os dias saía cedo com sua bicicleta vermelha para trabalhar no sítio Pedra Vermelha, que pertencia ao senhor Francisco, que tinha um caminhão vermelho. A mãe de Maria fazia doces de marmelo, enchia sua sacola vermelha e tentava vender na cidade.

Maria ia para a escola sozinha, seguindo pela estrada de terra vermelha. A professora esperava os alunos na porta, segurando sua pasta vermelha. Quando a aula começava, todos queriam aprender. Maria abria seu caderno vermelho e fazia a lição. À sua frente, a menina de fita vermelha na cabeça pedia a ela que lhe emprestasse a borracha. Atrás dela, o menino de bermuda vermelha cochichava com seu vizinho. Então, entrou na sala uma mulher alta e elegante. Ela era a diretora da escola e usava sapatos vermelhos. Disse que a partir da semana seguinte todos deveriam usar o uniforme escolar: calça preta para os meninos, saia preta para as meninas e camiseta vermelha para todos. Disse que custaria cinquenta dinheiros, aquela cédula de cor vermelha.

Maria comunicou aos seus pais, que abriram seu porquinho vermelho, contaram as moedas, mas só havia trinta. A menina continuou indo para a escola com seu surrado vestido de bolinhas vermelhas. Não usava a saia preta nem a camiseta vermelha. Maria se sentia inferior, pois de vermelho só tinha as bolinhas do vestido. A professora já não perguntava nada para ela, e nem corrigia sua lição com caneta vermelha. Os colegas não brincavam com ela no recreio e a menina da fita vermelha não mais lhe pedia a borracha. O coleguinha de trás estava sempre puxando seu cabelo vermelho. As notas de Maria, que antes eram sempre azuis, ficaram todas vermelhas.

A diretora entrou novamente na sala e novamente usava sapatos vermelhos. Perguntou por que a menina não estava usando o uniforme da camiseta vermelha. Maria envergonhou-se, e seu rosto ficou todo vermelho. A diretora disse que não era desculpa a falta de dinheiro, pois mesmo quem estava no vermelho poderia financiar seu uniforme preto e vermelho. Ela deu um prazo para que a família providenciasse o dinheiro para o preto e vermelho obrigatórios. Maria teve que sair da escola e todos os dias seus olhos ficavam vermelhos de tanto chorar.

Um homem de gravata vermelha, vendo o choro da menina, comprou o uniforme e deu-lhe de presente. Maria, contente, vestiu-se de preto e vermelho e correu para a escola novamente. Quando entrou na sala, sentiu todo seu sangue vermelho subir para a cabeça. Todos os outros estavam, então, de camiseta preta, as meninas de saia e os meninos de calça, ambas vermelhas. Ouve uma inversão. "O uniforme mudou", disse a professora com um sorriso sarcástico em seus lábios pintados com um batom vermelho.

Se você se sente inferior ou está sendo discriminado porque não tem o que os outros têm, seja você mesmo e não se deixe moldar pelos costumes ou modismos dominantes.

# A salada está se mexendo

Lembre-se: se sua salada está se mexendo provavelmente não é porque o agrião criou perninhas.

Havia um fio de cabelo em meu prato. Reclamei. O garçom retrucou dizendo que era meu. Aceitei que ele podia ter razão, mas, depois, fiquei pensando: "Mas eu não tenho cabelos longos e louros".

Tenho uma sorte para encontrar coisas estranhas no prato! É incrível! Parece que alguém no restaurante me vê e diz: "Lá vem ele, pegue a mosca, a larva, a lagartixa, a pedra... coloque na comida dele".

Quando estive no Amazonas, as mariposas praticavam salto e mergulho em minha sopa. Eu só tinha duas escolhas: tirá-las e tomar a sopa ou comê-las com a sopa.

Uma vez o garçom me perguntou o que eu queria beber, e respondi:

— Um suco.

Ele perguntou:

— De quê?

Respondi:

— Pode ser de maracujá.

Ele disse:

— Não tem.

— Abacaxi, então.

— Também não tem.

— Morango.

— Acabou.

— Mas, afinal, o que é que tem? — Perguntei.

E ele respondeu:

— Só de laranja.

Observei que uma colega de trabalho só levava batata cozida na marmita. Por vários dias era o mesmo e único alimento. Então, perguntei-lhe:

— Por que você só come batata cozida?

E ela respondeu:

— Porque acabou o óleo para fritar.

Certa vez fui com um amigo a um restaurante que servia comida ao som de música ao vivo. Meu amigo passou os olhos no cardápio, chamou o garçom e perguntou:

— Nesse *couvert* artístico vem o quê? Frango, carne, peixe?

Eu não estava comendo nenhum tipo de carne, mas fui a um restaurante alemão e pedi ao garçom para me trazer o prato mais vegetariano que eles tivessem. Veio uma cabeça de leitão com algumas batatas em volta. Imagine ter que pagar uma fortuna por algumas batatas e ainda comê-las com o cadáver do porco em cima da mesa.

Quem me ensinou a multiplicar foi minha querida mãe. Ela transformava um ovo em sete omeletes. Com uma maçã, alimentava onze filhos. Com um quilo de carne fazia uma panelona de almôndegas.

Uma vez fui do trabalho morrendo de fome. No ônibus meu estômago roncava mais que o motor. Meu umbigo já estava encostando em minhas costas. Eu tinha medo de desmaiar de tanta fraqueza. Então, comecei a comer um frango assado imaginário. Eu mordia, mastigava, engolia e até chupava os ossos. Impressionante! A fome passou. Minha barriga se encheu de imaginação. Foi a primeira experiência virtual que tive.

Uma vez subi no pé de goiaba que havia em minha casa e comi até me fartar. Quando estava todo satisfeito, minha irmã gritou lá de baixo:

— Jogue uma para mim!

Imediatamente fiz o que ela pediu. Ela abriu a fruta e fez cara de nojo:

— Que horror, está cheia de bicho!

E eu fiquei o resto do dia sentindo os bichinhos se mexendo dentro de mim.

Certa vez comprei um pacote de biscoitos para mim e um saco de ração para meus cachorros, mas os biscoitos eram tão ruins, mas tão ruins que tive de jogá-los fora. Conclusão: para não ficar com fome, partilhei a comida dos meus amigos cães. Fazia tempo que não comia com tanto gosto.

Cuidemos sempre de nossa alimentação e agradeçamos a Deus pelo alimento que recebemos de Suas mãos laboriosas.

# Chuchu quer ser gente — Você não é o único

Chuchu sonha em ser gente, por isso se empenha na tarefa de procurar exaustivamente a fórmula que transforme um legume em ser humano. Dessa vez, estava passando pela cidade quando lhe ofereceram um panfleto. Pegou o papel automaticamente e nem se interessou em ver o que estava escrito, pois já pressupôs que poderia ser um daqueles manjados anúncios: "Lê-se a mão, jogam-se búzios, conheça seu futuro e mude sua sorte". Ele já não acreditava mais nessas coisas, pois anteriormente havia recorrido a essas práticas e não obtivera resultado satisfatório. Amassou o papel e procurou um lugar de acordo para descartá-lo. Chuchu não é gente, mas nunca jogou lixo no chão.

— Como é difícil encontrar um cesto de lixo nesta cidade. Por serem de plástico, são facilmente roubados — observou enquanto continuava caminhando.

Não encontrando um lugar de descarte do objeto, continuou segurando-o, pois, como é um legume, não usa roupas, e, portanto, não possui bolsos.

Depois de tantos outros passos pela cidade, nosso personagem sonhador sentiu-se cansado de sua busca infrutífera e lamentou:

— Não acho nada que me traga uma nova esperança — e lembrou-se do papel em sua mão. Decidiu, por simples falta do que fazer, conferir o que estava nele escrito.

Desamassou o pequeno pedaço de celulose e leu o seguinte: "*Beautiful People*. Consultoria estética e de moda. Seja gente de verdade. Nós produzimos você da cabeça aos pés. Venha nos visitar na rua da Vitória, número 96".

Chuchu esqueceu o cansaço e rumou para o endereço indicado. Chegando ao local, foi recebido por uma moça bem-vestida, cabelo arrumado e maquiada. Ela sorria bastante e falava sem parar.

— Se você quer ser gente precisa parecer e agir como gente de verdade. Vamos fazer em você uma massagem, limpeza de pele, cremes para as mãos, para os pés, para o rosto, para o corpo todo e maquiagem. Depois, iremos a um *shopping* comprar roupas, muitas roupas, sapatos e...

— Mas não existem roupas e sapatos para um chuchu — questionou ele.

— A roupa transforma — continuou a consultora. — Se a pessoa é gorda fica magra, se é baixa fica alta, se é feia fica bonita, se é...

— Um chuchu verde... — disse ele deixando as reticências de propósito.

— A roupa e o sapato transformam-no em um ser humano elegante e atraente — completou ela. — E depois, vamos lhe comprar um celular novo.

— Mas eu não uso, não tenho para quem ligar — disse Chuchu.

— Não importa — argumentou a moça. — Gente usa celular mesmo que não tenha com quem falar. Mas, se você quer ser gente, tem que pegar o telefone de vez em quando e fingir que está falando com alguém. Você tem carro?

— Não, prefiro andar a pé para me exercitar — respondeu ele.

— Gente não anda a pé — disse ela um pouco exaltada. — gente faz academia. Vou ajudar você a escolher o carro ideal. Tem que ser do ano, esporte, possante...

— Mas eu só queria ser gente... — disse timidamente nosso simpático legume.

— Gente é isso, meu amigo — disse a moça com a firmeza de uma especialista. — É enfeitar-se, é parecer melhor do que é. Ah, e vamos fazer uma cirurgia plástica em você.

— Mas...

— Mas o quê, meu querido? Todos querem ser diferente, ser o que não são. Você não é o único. Ninguém está satisfeito com o que tem e o que é. Todos querem mais, querem mudar...

Chuchu virou as costas e se afastou deixando a mulher, que continuou a falar e falar. Não era o que queria, mas a moça lhe ensinou algo que não sabia: ele não era o único que estava insatisfeito com a própria aparência. Mas Chuchu não botou fé de que tudo aquilo era realmente necessário para ser gente de verdade.

# Como ser um grande imbecil

Quando varrer a calçada, empurre o lixo para a rua. Você pode usar uma vassoura ou um jato de água, nada de juntar a sujeira com uma pá e colocar em um cestinho ou em um saquinho para que seja coletado.

Jogue papel, plástico, lata e bitucas de cigarro em qualquer lugar, principalmente na rua. E se seu cão fizer o "número dois" nos lugares públicos, disfarce e não recolha as fezes.

Se você é um grande imbecil fumante, deve fumar principalmente nos lugares onde há bastante gente, especialmente de manhã, e não se esqueça de baforar bem pertinho dos outros. Uma dica para o grande imbecil é fumar na fila do ônibus.

Se você é um grande imbecil motorizado, não deixe de abrir o escapamento de sua moto ou de seu carro. Para um imbecil, quanto mais barulho, melhor. Não se esqueça de ligar as luzes de neblina quando não houver nenhuma. Buzine sempre, principalmente nos túneis. E se você perceber que não há guardas para multar, feche os cruzamentos e impeça os outros de seguir. Um imbecil deve pensar sempre: "Se eu não posso, quero que o outro se dane".

Se você tiver um carro equipado, pare em uma rua com movimento de pedestres, ligue o som, abra as portas do veículo. Um grande imbecil deve obrigar os outros a ouvir suas músicas preferidas.

Em casa, ligue seu aparelho de som ou sua tevê e aumente bem o volume, não se preocupe com os vizinhos.

No ônibus ou no trem, fique na porta e impeça a entrada e a saída das outras pessoas. Se você estiver do lado de fora para entrar, não espere as pessoas saírem primeiro. Se estiver sentado, abra bem as pernas para diminuir o espaço da outra pessoa que está a seu lado. Se estiver com uma criança pequena, deixe-a no assento ao lado ocupando o lugar que outro poderia ocupar. Lembre-se de que se você não é deficiente físico, nem idoso, nem está grávido, mas é um grande imbecil, deve ocupar sim os assentos reservados e deixar as pessoas necessitadas em pé mesmo. E também nunca respeite a fila para entrar na condução. Seja esperto e se coloque na frente dos outros. E não se esqueça de falar bem alto dentro do coletivo e pronunciar bastante palavrões. E se for ouvir música no aparelho celular, não use fones de ouvido.

Na escada rolante, se estiver parado, feche o espaço para que os transeuntes não passem por você. Ignore aquele aviso para deixar a esquerda livre. E quando estiver transitando por um lugar bem estreito, não deixe espaço para ninguém o ultrapassar, nem passar no sentido contrário com facilidade. Principalmente se você estiver acompanhado. Se for um imbecil ciclista passeando na ciclovia, faça o mesmo: nunca deixe passagem para os outros.

Guarde isso: um grande imbecil só pensa nele mesmo e não está nem aí para os outros.

# O silêncio

Havia um tempo em que o silêncio dominava a Terra, mas, certa vez, caiu uma fruta da árvore e fez "plof". Um cavalinho que estava por perto achou isso interessante e bateu no chão com o casco de uma de suas patas dianteiras: "ploc".

Uma passarinha, procurando comida para levar aos seus filhotes, viu a cena e abriu o bico soltando um "tuim". Um homem ficou indignado com a ave e quis repreendê-la com um "chiu". Então, o vento, que ainda era amigo do silêncio, assoprou forte para chamar a atenção, mas, quando fez isso, deixou escapar um som de "uuff" e balançou as folhas das plantas causando outro barulho: "tirtl, tirtl,tirtl".

As nuvens no céu se preocuparam, pois temiam que essa quebra do silêncio gerasse desordem. Decidiram enviar chuva para acalmar os ânimos, mas, para isso, precisaram se chocar umas nas outras, provocando um trovão: "cabum". E quando a água caiu sobre a terra, pode-se ouvir um barulho que perdurou por bastante tempo: "capishiishiishii". E foi nesse momento que as pessoas que não suportavam mais a seca ficaram felizes e bateram palmas: "pla pla pla pla". E outra olhou pela janela e soltou um grito: "silêncio".

Ouvindo seu nome, ele veio, mostrando a todos sua insatisfação. Estava com a cara tão fechada que assustou um cachorro que latiu: "au". Logo outro canino ladrou também: "hulf". O gato se arrepiou "miau", pulou o muro e foi cair em cima das galinhas: "có, có, có". Outros bichos se manifestaram e fizeram uma barulheira danada.

O silêncio pegou uma caneta e escreveu em uma plaquinha: "Vocês me desrespeitaram, vou embora para sempre", e deu as costas, afastando-se. As pessoas começaram a soltar a voz e a falar alto. E logo as crianças estavam chorando, os adolescentes gritando, os jovens conversando e rindo à vontade. Inventaram carros e motos com motores barulhentos: "vruuum", "drrrroo", e buzinas de todos os tipos: "piii", "fom-fom".

Sem o silêncio, tudo era barulho: conversas o tempo todo, aparelhos de televisão que não se desligavam nunca. Nas casas, nos restaurantes e em diversos lugares o ruído era geral.

As festas nas praças, com seus *shows* musicais, começavam à tarde, entravam pela noite e atravessavam a madrugada. Ninguém mais dormia bem. Já não havia mais o cinema mudo. As pessoas não conseguiam mais pensar direito, pois não tinham mais um tempo de silêncio.

Todos começaram a sentir falta do bom e velho silêncio e resolveram implorar que voltasse. Esse disse estar bem e que preferia continuar como estava. Mas os outros insistiram, e ele cedeu com a condição de que não trabalharia o tempo todo como antes, considerando que tudo em demasia não é saudável. Havia percebido que estava errado em impor um poder absoluto sobre as criaturas. Propôs que fossem guardados alguns instantes de quietude, de preferência durante as madrugadas, mas ficaria livre para quem quisesse usar outros momentos para praticar o silêncio. Também aqueles que desejassem fazer folia poderiam, desde que não incomodassem os outros.

Todos gostaram da proposta, e assim ficou estabelecido o acordo entre o sossego e o direito de manifestação das criaturas. Mas, infelizmente, sempre tem gente que parece querer exilar novamente o silêncio do mundo. Por isso, é importante, em diversos momentos do nosso dia a dia, convidá-lo para nos fazer companhia.

# Oração

Deus quer curar o complexo de inferioridade que você por ventura ainda tenha. Então deixe-se tocar por ele. Permita que ele faça de você alguém mais feliz e mais livre. Existem pessoas que não têm consciência do problema, mas deixam-se moldar pelos padrões do mundo, permitem que os modismos ditem o seu comportamento. Diga assim: eu não preciso de coisas para me sentir bem. Não preciso de carro do ano, celular último tipo, não preciso de cirurgia plástica para me sentir gente. Hoje sei que sou mais feliz vivendo com simplicidade. Posso até adquirir objetos, mas nunca me torno dependente deles.

Obrigado, meu Deus, pelo que sou e se tenho alguma coisa consagro a ti. Hoje em teu nome declaro minha total independência das coisas. Sou livre como tu me criaste. Só peço que me ensines a respeitar sempre a liberdade e o direito dos outros que convivem comigo na mesma sociedade.

*Amém.*

# O céu vem a nós

Olhei por uma fresta deste mundo e vi do outro lado mais luz e mais cores. Confesso que desejei passar para lá e procurei a porta. Enquanto tentava encontrá-la, apareceu um sábio e me perguntou o que eu estava procurando. Respondi que do outro lado devia haver coisas muito interessantes. Ele disse que eu tinha razão, mas perguntou o que eu entendia por "coisas muito interessantes". Eu respondi riquezas, belezas, novidades, raridades... Ele confirmou minhas suspeitas e eu fiquei mais ansioso, e me convenci de que realmente tinha que passar para lá. Mas ele sugeriu calmamente que eu aguardasse. Concordei. Ele então começou a questionar minha vida. Eu falei que estava insatisfeito com meu trabalho, minha família estava sempre se desentendendo, não tinha esperança no futuro. Queria outro lugar onde talvez pudesse ser mais feliz. Ele me disse que não havia possibilidade de passar para o outro lado ainda. Fiquei decepcionado, mas ele me animou pedindo que eu não perdesse a esperança. Disse que não dava para passar para o lado de lá, mas ele podia deixar passar para cá o que estivesse do lado de lá. Fiquei muito interessado nessa possibilidade e lhe pedi que confirmasse o que dizia. Ele balançou a cabeça afirmativamente e eu entendi que ele sabia muito bem o que estava dizendo. Perguntou se era isso mesmo que eu desejava. De minha parte, quis saber o que aconteceria exatamente, o que significava tudo aquilo. Ele respondeu assim:

— Você encontrou uma fresta e espiou por ela, quis encontrar a porta, mas não é possível achá-la por enquanto, pois do outro lado é o céu, e você não deve ir para lá ainda. Mas pode deixar as coisas do céu entrarem em sua vida.

E eu disse:

— Que assim seja. Que as coisas do céu entrem em minha vida.

Espiritualidade é isso: abrir as portas da vida, da casa e do coração para deixar entrar o céu.

# A tristeza de Aila

Sabe quando você fica triste de repente sem saber por quê? Aila estava bem, sorridente, esperançosa, conversando com todo mundo, brincando sempre, mas a tristeza a abateu sem aviso prévio. Sentiu uma dor na alma e até pensou que a morte estava próxima, pois preferiria morrer a continuar por muito tempo com esse sentimento. Ouviu alguém dizer, ou leu na internet, que um passeio ou um sorvete lhe curaria a tristeza. E ninguém pode acusá-la de não ter tentado, pois fez o passeio a um lugar lindo, tomou o sorvete do sabor de sua preferência. Mas a tristeza insistia em oprimir seu coração.

— Imagine que a tristeza é uma bola de ar em seu peito — disse alguém no rádio ou na tevê —, e quando você expirar, ela vai se desfazer.

Aila inspirou e expirou, inspirou e expirou e imaginou a bola se desfazendo. Porém, a tristeza permaneceu.

— Dance, corra, pule, durma — sugeriam.

Aila dançou, correu, pulou, dormiu, mas a tristeza ficou no mesmo lugar. O que fazer, que conselho mais seguir? Aila não sabia, e talvez ninguém soubesse como vencer a tristeza sem razão que ela possuía. Tristeza que era só dela e de mais ninguém, tristeza que era única e não se explicava.

Ninguém podia acusar Aila de não ter lutado, de não ter feito o que estava ao seu alcance, ninguém podia acusar Aila de se acomodar com a tristeza, de tentar usá-la para chamar a atenção dos outros. Ninguém podia dizer que ela gostava de ser triste, pois fez de tudo para superar esse sentimento negativo.

Mas, certo dia, depois de muito chorar, ela foi até o banheiro lavar o rosto, e quando se olhou no espelho, viu a própria tristeza em vez de sua face. E a tristeza refletida no espelho mexeu a boca como que querendo dizer alguma coisa. Aila prestou atenção, e foi então que percebeu: a tristeza tinha uma mensagem e não iria embora enquanto não a fizesse chegar ao destino. Aila decidiu que, no tempo seguinte, prestaria atenção à tristeza e assimilaria seus ensinamentos. E assim se deu. Dois dias depois, a tristeza a deixou.

Aila não quis contar o ensinamento particular de sua tristeza, mas quis partilhar essa experiência para que todos nós aprendêssemos a prestar mais atenção aos nossos sentimentos.

# Vinte maneiras fáceis para irritar o padre da sua paróquia

1. Dez minutos antes de começar a missa, peça a ele que ouça sua confissão.

2. Quando o encontrar na rua, pergunte: "Está passeando, padre?".

3. Ligue para ele a qualquer hora do dia e pergunte: "Eu o acordei?"; ou "O senhor estava dormindo?".

4. Use coisas da igreja para fins pessoais, e se ele reclamar, diga que você tem direito porque é dizimista.

5. Você que participa de uma pastoral ou equipe, mostre-se superior àqueles que só vão à missa.

6. Questione sobre qualquer coisa e ameace-o: "Se o senhor não resolver, vou falar com o bispo".

7. Diga a ele que precisa ir visitar sua casa porque todos os outros antes dele já foram.

8. Reclame bastante da paróquia e não faça absolutamente nada para ajudar.

9. Tente "ensinar o Padre Nosso ao vigário".

10. Compare-o com outros padres.

11. Depois da missa, diga que ele não devia ter falado isso ou aquilo no sermão, pois você não concorda com ele.

12. Quando estiver em confissão, fale os pecados de seu marido, de sua esposa, de seus filhos, dos pais, dos vizinhos, menos os seus.

13. Exija que lhe atenda a qualquer hora dizendo que ele está lá para isso.

14. Lembre-o por diversas vezes que você ajudou a construir o templo e merece alguns privilégios.

15. Ligue todos, ou quase todos os dias para falar com ele sobre qualquer assunto.

16. Entre na casa paroquial sem ser convidado e dê palpites não solicitados sobre as coisas dali.

17. Mesmo que você saiba o que tem de fazer na pastoral e no serviço da igreja, pergunte a ele.

18. Pare-o a qualquer hora e em qualquer lugar para falar de seus problemas pessoais ou narrar sua vida.

19. Escolha o momento em que ele está mais ocupado para lhe falar dos problemas paroquiais e pastorais.

20. Enquanto ele estiver pregando ou conduzindo a oração, vá passear ou resolver algum problema no pátio, deixe que ele perceba que você já se considera mais que preparado e não precisa nem ouvir nem rezar.

# A VERDADEIRA HISTÓRIA DO LOBO

Marianita gostava de passear todos os dias no parque. Certa vez, ouviu uma voz perguntando:

— Ei, menina, você gosta de bolinho de chuva?

Ela não deu atenção e continuou seu passeio, mas a voz insistiu:

— Menina, você gosta de torrada?

Dessa vez, ela apenas respondeu:

— Eu só quero continuar meu passeio.

Mas aquela voz não estava disposta a desistir:

— E de cocada, você gosta?

Quando ouviu o nome do doce, a menina percebeu que a voz lhe perguntara sobre as guloseimas de que ela mais gostava. Começou a ficar intrigada, mas permaneceu em silêncio. Então, a voz investiu novamente:

— Tenho bolinho de chuva, torrada e cocada para você. Tudo muito gostoso e fresquinho.

A menina enfim resolveu olhar para o lado e certificar-se de quem era aquela voz. Assustou-se ao ver um lobo lhe sorrindo, vestido com roupas de mulher idosa. Marianita lembrou-se de certa história que lera em um de seus livros. Tirou o celular do bolso, digitou um número e encostou o aparelho no ouvido:

— Vovó, você está bem? Comigo também está tudo bem. Eu só liguei para saber como a senhora está. Mamãe está bem. Beijo, vovó.

O lobo colocou a mão no queixo, balançou a cabeça e falou:

— Não acredito que você pensou uma coisa dessas de mim! Eu só estou querendo lhe servir coisas gostosas.

A menina virou o rosto, um pouco envergonhada, mas em seguida olhou-o nos olhos e perguntou com autoridade:

— Como sabe do que eu gosto e por que está vestido com roupas de mulher?

O lobo lhe respondeu:

— Eu me visto como quiser, sou livre. Ou você acha que lugar de lobo é na jaula?

Marianita envergonhou-se novamente:

— Desculpe, sei que nem todo lobo é mau.

E novamente fitou-o e disse engrossando um pouco a voz:

— Mas você ainda não respondeu como sabe dos meus gostos!

O lobo se virou, sentou-se no chão, e expressando certa melancolia, disse:

— Eu fiz os preferidos de minha filha e os estava levando para comer com ela e minha esposa. Porém, fiquei sabendo que elas foram capturadas pelo zoológico da cidade. Peguei as roupas emprestadas de uma mulher que mora perto de minha casa e estava indo visitar minha loba disfarçado. Mas fui barrado no portão, pois disseram que hoje é dia de manutenção e não abre para visitação. Não quero guardar as guloseimas para amanhã. Resolvi partilhá-las com você, que é tão simpática e tão parecida com minha filha.

O lobo começou a chorar.

A menina tentou consolá-lo:

— Por favor, não chore, não posso ver um lobo triste. O que posso fazer por você?

O lobo respondeu:

— Faça um piquenique comigo, senão vou morrer de saudades de minha família.

A menina aceitou o convite e começou a se deliciar com a comida. Enquanto a degustava, olhou para o lobo e disse:

— Você não tem olhos muito grandes. Sua boca também não é.

O lobo disse:

— Sabe, entristece-me bastante essa mentira de que comemos idosos e crianças. São os homens que nos matam e nos aprisionam como se fôssemos bandidos.

A menina olhou para ele com comiseração e disse:

— Pode deixar, senhor Lobo, vou escrever uma história desmentindo tudo isso.

O lobo sorriu agradecido e pediu:

— Por favor, escreva também que os caçadores não são heróis, mas assassinos impiedosos.

Marianita apertou a pata do animal:

— Combinado, seu Lobo.

E partiu de volta para casa.

O lobo acompanhou sua partida com o olhar, depois disse para si mesmo:

— Será que fiz mal em mentir? Não tenho esposa, nem filha, e eu já sabia quais eram seus petiscos preferidos, pois a estava observando fazia tempo. Afinal, precisava que alguém limpasse minha imagem. Agora, deixe eu me livrar dessas roupas ridículas que roubei do varal de alguém.

Moral da história: os lobos não são maus, mas também não são tão bonzinhos. E as pessoas?

## Gosto das pessoas

Gosto das pessoas justas, verdadeiras. Não precisam ser boazinhas, nem santinhas. Se forem autênticas, serão bem-vindas em meu coração. Gosto das pessoas que têm opinião, mas isso não significa que precisam ser Gabriela: "Eu nasci assim, eu cresci assim, vou ser mesmo assim, Gabriela".

Podem mudar de ideia, seguir por outro lado, virar a esquina. Mas não gosto de gente que tem uma atitude diferente para cada pessoa ou para cada situação. Não gosto daquelas que fazem leilão de seu voto, de seu julgamento, de seus pensamentos ou suas palavras: "Quem dá mais, quem dá mais? Dou lhe uma, dou-lhe duas...".

Gosto das pessoas que têm sentimentos, que sabem sorrir e até gargalhar, daquelas que são capazes de chorar, que contagiam os outros com sua alegria, mas também são solidárias às dores alheias.

Gosto das pessoas que gostam dos animais, que respeitam a criação de Deus, que são capazes de pequenos gestos, às vezes até insignificantes, mas importantes para demonstrar sensibilidade e carinho. Gosto daquelas que admiram uma orquídea, que se emocionam ao ver crianças sorrindo, pássaros cantando livres, borboletas voando... Gosto de você.

# Oração

Comece esta oração suplicando a Deus. "Senhor, vem morar na minha casa e no meu coração".

Repita a mesma frase pelo menos dez vezes, mas faça isso com o sincero desejo de que o Senhor venha habitar a sua vida. Quando Deus entra saem as tristezas, os rancores e qualquer maldade. Perceba que os sentimentos ruins estão indo embora, o Senhor está lhe curando definitivamente.

E assim curado você vai ser um instrumento de alegria e paz na vida dos outros. Não vai mais chateá-las nem irritá-las e vai tratar a todos com carinho sincero. Assim curado você vai voltar a gostar da vida, das pessoas, da natureza, dos animais, da arte...

Obrigado, meu Deus, por esta cura. Por entrar hoje na minha vida e afastar toda tristeza, angústia e depressão.

*Amém.*

# Prisco em outro lugar

Logo que Prisco chegou à sua nova residência foi tirando os sapatos e procurando na mala um par de chinelos. Finalmente, com os pés aliviados, sentou-se na confortável poltrona cinza clara, pegou o controle remoto com muitos comandos e procurou um botão que indicasse liga/desliga. Quando conseguiu fazer funcionar o aparelho de tevê, viu uma foto de paisagem. Alguns segundos se passaram e a mesma imagem permanecia na tela; mudou o canal e encontrou outro cenário: uma rua sem nenhum movimento. Passando adiante, viu o interior de uma casa, sem nenhuma presença viva. No próximo canal, um avião, no outro o fundo do mar, depois, em um canal seguinte, uma praia completamente deserta.

Prisco se dirigiu ao cômodo onde ficava o interfone e comunicou-se com o zelador:

— Como faço para assistir aos programas de tevê? — perguntou.

— Aqui não há programas prontos, você deve criar o seu — respondeu o zelador. — Deve digitar no controle os personagens que deverão aparecer no cenário, depois escolher o tipo de movimento e o tipo de diálogo que deseja e criá-los.

— Mas eu gostaria de ver algo pronto, só para relaxar — retrucou Prisco.

— Não temos mais esse tipo de programa em nosso país — respondeu o zelador. — Eles estavam colaborando para o atrofiamento do cérebro das pessoas.

— Tudo bem, obrigado — disse Prisco desligando o interfone.

Prisco não sentia sono, por isso desligou o aparelho de tevê e foi procurar na estante um título de livro que lhe interessasse.

— *Lembranças de um solitário*. Gostei deste, parece ter muito a ver com minha vida — disse ele tirando o volume do móvel.

Porém, ao folheá-lo, notou que estava completamente em branco. Tirou outro da estante, outro e outro. Todos continham somente o título e nenhum conteúdo escrito. Então, correu novamente ao interfone.

— Não vá me dizer o senhor que também os livros sou eu quem deva escrevê-los — perguntou ao zelador.

— Justamente, o senhor entendeu direitinho — respondeu o zelador.

— Então, neste país ninguém expõe aos outros seus pensamentos, sua arte?

— Sim, existem os encontros próprios para isso.

Prisco desligou o interfone e voltou para a sala principal de seu apartamento. Foi quando percebeu que havia, na parede, quadros em branco, e em um móvel ao lado, tintas e pincéis. Prisco entendeu que ele estava realmente em outro lugar, com uma cultura totalmente diferente.

Será que não está na hora de cada um de nós usar mais a criatividade e a capacidade de fazer coisas bonitas? Afinal, todos temos talentos.

# Rebobinando a fita

Gente, vamos lembrar o passado outra vez. Vamos novamente rebobinar a fita.

Rebobinar a fita! Quando disse isso perto de meu sobrinho, outro dia, ele me olhou como eu estivesse falando outra língua, talvez falando em línguas. Como ele podia entender o que é isso? E quando comentei que antigamente usava cotonete umedecido no álcool para limpar o cabeçote do toca-fitas, ele pensou que eu havia endoidado de vez. Depois de lhe explicar os porquês, cometi outro lapso quando lhe perguntei se finalmente "havia caído a ficha". Então, ele disse: "Chega, vamos conversar em português".

E foi aí que rememorei as vezes que eu andava pelas ruas procurando um orelhão que funcionasse. E a dificuldade para achar um lugar que vendesse fichas. Nem sonhávamos com cartão. Telefone em casa? Ave! Celular? Não víamos nem em *Perdidos no Espaço* ou *Jornada nas Estrelas*, os seriados de ficção mais famosos que passavam na televisão na época. Quem precisasse se comunicar com alguém tinha que ligar para o orelhão comunitário e contar com a generosidade de quem atendesse. "Conhece o Dinho? Leve um recado para ele. Abriu uma vaga para *office boy* e ele tem que fazer entrevista amanhã, se quiser".

Trabalhar de *office boy* era interessante porque você não tinha um chefe. Todo mundo mandava em você. Era legal porque não tinha essas formalidades de "por favor", "você pode?". Os colegas, desde o auxiliar de escritório ao presidente, o escalavam para fazer alguma coisa: "*Boy*, vá ao banco para mim". "*Boy*, vá comprar um lanche para mim". "*Boy*, pague essa conta para mim". Mas o interessante é que não existiam esses escrúpulos de hoje. Todo mundo *bullyingava* todo mundo. Quando você era novato na empresa logo o mandavam ao almoxarifado buscar folha de carbono pautada, caderno em brochura com arame, estêncil em pó. É claro que meu sobrinho nem imagina o que sejam essas coisas. E todo mundo recebia apelido. Cabecinha, Dumbo, Pinóquio, Ximbica, Pancada, Tanaka, Bola Murcha... Mas ninguém ficava chateado com ninguém.

No final de semana nós nos divertíamos em bailinhos nas casas. E curtíamos o som do Johnny Rivers: *Do you wanna dance*. Difícil era acertar com a parceira se faria dois passinhos ou um só para cada lado. Nunca se sabia qual era o correto. Os braços deviam ficar na cintura ou nos ombros? E essa menina está sozinha mesmo ou o namorado dela é aquele grandão ali?

Mas o pior é que via meus colegas batendo o maior papo com as meninas e eu não sabia o que falar. Certa vez, arrisquei começar uma conversa. Perguntei o nome, ela respondeu... A conversa parou por aí.

Eu podia convidá-la para tomar uma tubaína. Podia convidá-la para ir ao parque no domingo andar de chapéu mexicano, jogar tomba-latas, comer algodão-doce. (algodão-doce meu sobrinho sabe o que é).

E esses parques de diversões? E o correio elegante que distribuíam ali? E a prisão? Uma vez chorei tanto quando mandaram me prender! Não sabia que era uma forma de a menina que gostava de mim chamar minha atenção.

Mas, por ora, vou parar por aqui; vamos deixar um pouco de lembrança para outro dia, porque tenho um presente para viver. Presente esse que daqui a pouco vamos assistir no videocassete. O quê? Não! No DVD, no *blue ray*...

É. Tudo vira passado.

# Quem tem razão?

Alguém pode ter razão na disputa pelo poder?

O homem, com seu carro importado, grande e luxuoso, finalmente conseguiu encontrar uma vaga para estacionar perto do endereço de seu destino. Ele ligou o pisca-pisca, parou ao lado do espaço vazio, calculou se o tamanho da vaga era compatível com seu carro, em seguida puxou o veículo para frente e engatou a ré; estava para tirar o pé da embreagem quando apareceu um jovem dirigindo um carro esporte nacional, desses populares, totalmente equipado, com o som ligado em alto volume. O rapaz virou à direita e em seguida à esquerda. Com apenas duas manobras, encaixou o carro na vaga que era pretendida pelo senhor do carro importado.

O jovem saiu do carro rapidamente, como se comemorasse a vitória sobre o homem quase idoso, e acionou o alarme, que automaticamente desligou o som e travou as portas de seu veículo. O senhor tirou a cabeça e as mãos para fora de seu veículo, fez um gesto e disse algo para mostrar sua indignação. O jovem não se intimidou e disse com orgulho:

— O mundo é dos jovens.

E deu as costas seguindo seu caminho.

O homem, que não era jovem, mas aparentava ter mais de cinquenta anos, acelerou o carro, e com a traseira de seu veículo empurrou o carro do jovem. Quando o rapaz ouviu o barulho, virou-se e gritou desesperado. O homem mais velho não se deteve, continuou a bater e empurrar com seu carro grande e luxuoso, e o carro pequeno do rapaz foi jogado para fora da vaga do estacionamento.

Depois do feito, o senhor muito bem-vestido saiu do carro com ar de "quem ri por último ri melhor", ergueu bem a fronte e disse:

— Você está enganado, o mundo é dos ricos.

É claro que não podemos concordar que o mundo seja dos jovens ou dos ricos, o mundo é de todos. Na briga pelo poder, talvez vença o que tem mais dinheiro. Mas, de quem é a razão? Nas guerras luta-se pelo poder. Quem está com a razão quando nas batalhas apenas se sobressai a vontade de dominar sobre o outro?

Se por acaso você entrar em uma discussão ou em uma disputa, fique atento para perceber se o que está em jogo não é somente o poder. Lembre-se: quando não existe uma grande causa, a luta é sem sentido e motivada por pura imbecilidade.

A melhor atitude é a do respeito para com o outro. Porém, não precisamos medir forças para nos fazer respeitar. Podemos ser mais felizes evitando disputas desnecessárias.

# Não vale lamentar

Hoje, acredito que não vale lamentar os infortúnios da vida, pois será que valorizaríamos a saúde se não houvesse doença? A dor nos faz querer a paz, pois se tudo fosse prazer não teríamos o que desejar. Se tudo fosse gostoso, não teríamos vontade de saborear algo diferente; se todas as pessoas que amamos permanecessem ao nosso lado, não teríamos a saudade no coração. Se todos os nossos projetos fossem realizados não cultivaríamos sonhos e nem sentiríamos o coração batendo diante da expectativa e da incerteza. Se tivéssemos cem por cento de chances de sucesso não precisaríamos lutar por nada. A vitória seria apenas um fato como qualquer outro. As comemorações seriam apenas rotina e as celebrações nada mais que obrigações.

Se fôssemos totalmente ricos não teríamos necessidade de nada e a arrogância tomaria conta de nosso espírito. Se soubéssemos de tudo não precisaríamos de nenhuma informação; logo, não teríamos sede de conhecimento. Se fôssemos donos da verdade, o diálogo seria totalmente inútil e nossas falas monólogos que ninguém quereria ouvir. Se não tivéssemos nenhuma carência jamais experimentaríamos a delícia de receber um carinho. Se fôssemos inteiramente santos não poderíamos receber a dádiva do perdão. Se não tivéssemos medo de nada, para que serviria nossa coragem? Se não errássemos em pensamentos, palavras e ações, atrofiaríamos nossa capacidade de melhorar a cada dia.

Se jamais sentíssemos frio, como poderíamos apreciar um chá quente em frente à lareira, como poderíamos curtir uma noite embaixo do edredom? Se todas as pessoas fossem essencialmente boas e capazes, para que serviriam os elogios? Se não errássemos nunca, o que faríamos com nosso dom de corrigir? Se tudo desse certo, o que faríamos com nossa capacidade de tentar novamente?

Portanto, quero hoje agradecer os infortúnios desta vida e louvar a Deus pelas imperfeições que existem em mim. Não é sem propósito que o dia escurece e nem é sem sentido que os caminhos possuam curvas e subidas. Não vou reclamar da escuridão se ela tem favorecido meu sono, não vou esconjurar as dificuldades da escalada se somente depois de encarar esse desafio posso olhar a paisagem lá de cima. Agradeço os obstáculos que fazem com que a conquista seja ainda mais valiosa.

# Desentendimento

(*Baseado em fato verídico*)

Gislane estava desempregada, havia acabado de fazer um curso de *designer* de modas e procurava alguma colocação nessa área. Não estava fácil conseguir um emprego, como nada estava fácil para ela nesse tempo. Já fazia tempo que não namorava ninguém, por isso, outro sonho que tinha era viver um bom relacionamento.

— Já tenho vinte e oito anos e ninguém me escala para um joguinho! — reclamava ela. — Nem emprego, nem namoro. Eh, vida!

O relógio já estava para marcar 16 horas e ela, cansada e desanimada com o resultado negativo de sua busca naquele dia, decidiu voltar para casa, pois, se demorasse mais, pegaria o horário de pico e teria de enfrentar a condução lotada.

Já no ponto de ônibus, estava sozinha quando chegou um rapaz usando um boné e uma blusa de moletom, com as mãos enfiadas nos bolsos.

— Não é muito bonito, mas me agrada — pensou, e logo percebeu que ele não tirava os olhos dela. Retribuiu os olhares, mas disfarçou para não passar a impressão de ser uma mulher fácil. Ele a estava medindo de cima a baixo e ela gostou da medição.

— Acho que minha sorte está mudando — pensou.

O rapaz olhou para um lado, para o outro e deu dois passos em sua direção. Ela, um pouco sem jeito, tirou o celular da bolsa e fez de conta que estava conferindo as mensagens enviadas. Ele chegou bem perto dela e disse:

— Me dá seu telefone.

"Você é bem direto", ela pensou, mas não falou.

— Vamos, rápido — insistiu ele.

Ela abriu a bolsa novamente, pegou um pedaço de papel, escreveu nele com uma caneta esferográfica e o estendeu para o rapaz.

— O que é isso? — perguntou ele.

— O telefone que você pediu — respondeu ela.

— Você tá me tirando, é? — perguntou ele subindo um tom da voz.

— Eu não — disse ela meio confusa.

— Você é louca, moça? — esbravejou o rapaz — Cheirou cola? Tá pensando que eu sou trouxa? Sua loira feia e fajuta.

— Ei, qual é a sua? Chegou aqui, ficou aí me paquerando, agora me ofende. Louco, feio e fajuto é você. Vá caçar o que fazer, seu moleque!

E o rapaz foi saindo de sua presença e retrucando. Levantou os braços, fez gestos com mão.

— Vai, sua louca, imbecil! — e dobrou a esquina.

Gislane ficou tão chateada que decidiu sair daquele lugar e pegar o ônibus em outro ponto. Quando caminhava, avistou uma movimentação à frente. Pôde ver um carro de polícia, alguns curiosos e um guarda algemando alguém. Ela se aproximou para saber do que se tratava e tomou um susto, pois quem estava sendo preso era o mesmo rapaz com quem trocara ofensas havia poucos instantes. Enquanto o colocavam na viatura, ela perguntou a outro policial o que estava acontecendo.

— O meliante é um ladrãozinho vagabundo — respondeu o homem de farda —, já há algum tempo vem roubando celulares das pessoas aqui na região. Hoje nós o pegamos em flagrante delito. Espero que fique um bom tempo trancafiado.

Só então Gislane entendeu o que havia acontecido com ela.

Assim também pode acontecer com qualquer um de nós, que, envolvido pela nuvem de nossos problemas e frustrações, não conseguimos ver o que realmente está acontecendo a nossa volta.

# Oração

Senhor meu Deus, envia o teu Espírito e cumula-me de dons e talentos, libera minha criatividade e dá-me a graça de fazer coisas bonitas que agradam os teus olhos. Que eu possa fazer a diferença em um mundo de violência e intolerância.

Senhor meu Deus, ensina-me a controlar minha raiva e meus impulsos agressivos e que jamais minha sensatez e razão sejam sufocadas pelos meus problemas e frustrações. Que eu saiba te agradecer e louvar até nas mais terríveis dificuldades. Quando tudo parecer escuro, que eu não me desespere, mas me apegue com tua luz. Quando a caminhada for cansativa demais que eu conte com teus braços a me amparar e, até mesmo, me carregar no colo. E que os obstáculos que eu encontre sirvam para exercitar minha capacidade de removê-los ou contorná-los.

*Amém.*

**GRÁFICA PAYM**
Tel. (11) 4392-3344
paym@terra.com.br